CW00847202

Y CORFF

Andras Millward

Argraffiad cyntaf—1998

ISBN 1 89502 611 7

ⓗAndras Millward ©

Mae Andras Millward wedi datgan ei hawl dan
Ddeddf Hawlfraint, Dyluniadau a Phatentau 1988
i gael ei gydnabod fel awdur y llyfr hwn.

Cedwir pob hawl. Ni chaniateir atgynhyrchu unrhyw ran o'r cyhoeddiad hwn
na'i gadw mewn cyfundrefn adferadwy na'i drosglwyddo mewn unrhyw ddull na
thrwy unrhyw gyfrwng, electronig, electrostatig, tâp magnetig, mecanyddol,
ffotogopïo, recordio nac fel arall, heb ganiatâd ymlaen llaw gan y cyhoeddwyr,
Gwasg Gomer, Llandysul, Ceredigion.

Dymuna'r cyhoeddwyr gydnabod cymorth
Adrannau Cyngor Llyfrau Cymru.

*Argraffwyd gan
Wasg Gomer, Llandysul, Ceredigion*

1

YR ARDDANGOSFA

Fodfeddi uwchben y ferch hongiai cyllell hir, ei phwynt gwaedlyd yn anelu'n union am y galon. Roedd ofn wedi ei serio ar ei hwyneb ond ni ddôi'r un sgrech o'i cheg agored. Fedrai hi ddim symud am fod ei dwylo wedi eu cadwyno i'r llechen fawr y gorweddai hi arni. Roedd mwgwd hyll wedi'i wneud o benglog dynol yn cuddio wyneb y dyn a ddaliai'r gyllell. Yn y cefndir, roedd sŵn sgrechfeydd i'w clywed.

'Dewch ymlaen, bobol, mae 'da ni lawer mwy i'w weld,' pregethodd Mrs Russell wrth geisio symud ei dosbarth ymlaen, heibio i'r modelau erchyll. Edrychodd dros ei sbectol fawr ar y ddau fachgen oedd yn oedi wrth yr olygfa arswydus. 'Paul Gruffudd, Hywel Taylor, chi hefyd. Dewch yn eich blaenau!'

'Jest yn darllen amdanyn nhw, Mrs Russell,' meddai Paul, heb dynnu ei sylw oddi ar y modelau maint llawn o'i flaen.

'O'r gore, ond peidiwch â bod yn rhy hir,' atebodd yr athrawes. 'Mae'n arddangosfa fawr.'

'Iawn, Miss,' meddai Hywel. Wedi iddi fynd o'r

5

golwg i'r adran nesaf yn yr Amgueddfa, trodd at ei gyfaill gan wthio'i sbectol gron yn ôl ar ei drwyn. 'Maen nhw'n edrych mor fyw on'd y'n nhw? A'r holl sŵn sgrechen yna . . . Ych a fi. Tybed beth yw eu hanes nhw?'

Rhedodd Paul ei law'n araf drwy ei wallt tywyll, tonnog wrth ddarllen y bwrdd bychan o flaen y modelau. 'Mae'n dweud fan hyn.' Darllenodd yn uchel o'r testun ar y bwrdd. 'Er gwaethaf amryw o ddatblygiadau blaengar gan deyrnas y Manataya mewn technoleg a gwyddoniaeth, roedd nifer o arferion barbaraidd yn parhau hyd ddiwedd eu gwareiddiad. Ymhlith y rhain roedd yr arfer o aberthu bechgyn a merched ifainc. Roedd y Manataya'n credu y byddai gwaed eu pobl ifainc yn bodloni eu duwiau dig.'

'Ych a fi,' meddai Hywel eto, gan dynnu wyneb. ''Na un ffordd i stopio fi wylio'r ffwti ar brynhawn dydd Sadwrn, 'ta beth. 'Sen i'n eitha dig 'sen i'n colli gêm Man U.'

'Ar ôl y gêm ddiwetha, dyna beth ddylen nhw wneud i'r rheolwr a'r hyfforddwr,' meddai Paul, gan bwyntio at y modelau.

Syllodd y ddau fachgen yn syn ar ei gilydd am eiliad cyn llafarganu, 'Naaa!'

Chwarddodd y ddau a symud yn eu blaenau. Roedd y dosbarth cyfan mewn hwyliau da a dweud y gwir, gan eu bod yn treulio'r diwrnod yn Amgueddfa'r Ddinas yn gweld yr arddangosfa fawr newydd, *Teyrnas Gudd y Manataya*. Roedd y cyfan wedi bod yn y papurau newydd ac ar y radio a'r teledu, gyda llawer o haneswyr yn siarad yn gyffrous am y peth.

Roedd yr archaeolegydd enwog, David Fitzwalter, wedi darganfod olion dinas hynafol enfawr wedi eu cuddio yn y jyngl trwchus ar y ffin rhwng de Mecsico a gogledd Guatemala. Dros dair mil o flynyddoedd oed, roedd y ddinas yn perthyn i wareiddiad y Manataya. Yn sgil darganfyddiad cyffrous Fitzwalter, roedd yna lawer o sôn am 'ailysgrifennu'r llyfrau hanes'. Ond go brin y byddai'r Prifathro'n croesawu hyn, yn enwedig gan fod yr ysgol wedi gwario tomen o arian yn ddiweddar ar lyfrau hanes newydd sbon i'r llyfrgell.

Ymunodd y ddau fachgen â gweddill y dosbarth. Roedd yr ystafell nesa'n llawn o gerfluniau rhyfedd o bobl â phennau anifeiliaid. Teimlai Paul a Hywel yn annifyr wrth gerdded rhwng y cewri carreg o'u hamgylch. Sylwodd Paul fod dyn ifanc ar staff yr amgueddfa'n siarad yn bwyllog â'r dosbarth, a'i wallt hir, tywyll wedi ei glymu'n ôl. Craffodd Paul ar y bathodyn lliwgar ar ei grys-T: *Fy enw yw Tom. Gofynnwch gwestiwn i mi!*

'Roedd y Manataya,' meddai Tom, 'yn addoli llu o dduwiau. Ac roedd nifer o'r duwiau hyn yn gymysgedd o bobol ac anifeiliaid, fel y jagwar, yr anaconda neu'r parot.'

Chwarddodd y dosbarth nes i'r olwg ddig ar wyneb Mrs Russell eu tawelu'n ddisymwth.

'Doedd 'na ddim byd pert na doniol am Poli, cofiwch,' meddai Tom, gan fyseddu'r farf fechan a dyfai ar ei ên. 'Roedd y Manataya'n credu fod y duw arbennig hwn yn rhwygo dynion yn rhacs gyda'i big miniog, nerthol.' Tawelodd y dosbarth yn sydyn. 'Mae'r haneswyr yn credu mai stori oedd y cyfan wedi ei chreu gan benaethiaid y Manataya. Mae'n debyg bod yr uchelwyr yma'n defnyddio'r stori i guddio'r ffaith eu bod nhw'n lladd unrhyw un oedd yn anghytuno â nhw. Ond roedd llond twll o ofn ar werin bobol y Manataya wrth weld plu parot, am fod hynny'n arwydd o berygl.'

Symudodd Mrs Russell ymlaen. 'Reit, Blwyddyn Wyth, mae'n siŵr ein bod ni'n ddiolchgar i Tom am yr hanesyn diddorol yna. Ry'n ni'n symud ymlaen i brif adran yr arddangosfa nawr. Peidiwch â chyffwrdd ag unrhyw beth. Os gwela i unrhyw un yn gwneud, fe fydd yn cael mynd o flaen y Prifathro bore fory. Deall?'

'Deall, Mrs Russell,' llafarganodd y dosbarth yn undonog.

'Gwell i ni ofyn am ganiatâd i anadlu, hefyd,' sibrydodd Paul wrth Hywel wrth i'r dosbarth orymdeithio'n araf i adran nesa'r Amgueddfa. Roedd ar fin ychwanegu rhywbeth arall pan deimlodd rhywun yn ei bwnio yn ei gefn. Trodd at y llipryn o fachgen main oedd yn chwibanu'n ffug-ddiniwed y tu ôl iddo.

'Rhywbeth yn bod, Paul?' gofynnodd y bachgen yn goeglyd, a'i wyneb gwelw'n ymddangos yn wyrdd annifyr yng ngoleuni pŵl yr arddangosfa. Ochneidiodd Paul. Doedd ganddo ddim amheuaeth mai Martin Evans—niwsans proffesiynol Blwyddyn Wyth—oedd y pwniwr. Roedd rhywbeth yn Martin yn ei orfodi i fod yn boen i bawb!

'Beth wyt ti'n moyn nawr, Martin?' gofynnodd Paul. 'Bôrd? Wedi cael digon ac ishe mynd adre, wyt ti?'

Cododd Martin ei ysgwyddau'n ddramatig a chrafu ei ben. 'Sgen i ddim syniad am beth wyt ti'n siarad. Edrych ar y pethe grêt yma ydw i.' Trodd Martin i greu'r argraff mai astudio'r arddangosfa roedd e. Hen dro mai dim ond diffoddwr tân oedd yno ar y wal o'i flaen!

'Onestli, fe fyddet ti'n beryglus 'se gen ti frêns, Martin!' atebodd Paul. Estynnodd ei law at Hywel, a'i chledr am i fyny. Rhoddodd Hywel slap iddi â'i law yntau.

'*One-nil*, Hyw! *He shoots, he scores*!' meddai Paul gan wenu'n llydan, cyn troi a cherdded yn gyflymach at ran nesa'r arddangosfa.

Welodd y ddau mo'r olwg filain a basiodd ar draws wyneb Martin wrth iddo syllu ar ei holau.

2

Y SARCOFFAGWS

'Oes 'na unrhyw un yn gallu dweud wrtha i beth
yw hwn?' gofynnodd Mrs Russell.

Safai'r athrawes o flaen clamp o arch wedi ei
gwneud o ryw garreg dywyll, yn ymestyn rai
troedfeddi uwch ei phen. Roedd yr arch wedi ei
naddu i mewn i siâp amrwd dyn, y llygaid a'r geg
yn gam a garw, a'r dwylo wedi eu plethu ar y
stumog. Wrth draed y ffigur, gorweddai amryw-
iaeth o anifeiliaid, gan gynnwys nadroedd, jagwar
ac aderyn milain yr olwg.

Safai'r dosbarth yn gegrwth o flaen y crair
hynafol. O'r diwedd, cododd un o'r dosbarth ei
llaw.

'Ie, Meinir?'

'Sarcoffagws, Mrs Russell.'

'Da iawn, Meinir. Ie, sarcoffagws, fel yr
arferai'r Eifftiaid eu gwneud ar gyfer eu
brenhinoedd a'u breninesau marw. Ond mae'n
siŵr y gall Tom ddweud mwy na fi am y peth.'

Camodd Tom ymlaen. 'Er fod y Manataya
wedi gwneud darganfyddiadau rhyfeddol mewn
mathemateg a gwyddoniaeth filoedd o flynydd-

oedd o'n blaenau ni yn y byd modern, roedden nhw'n dal i gredu'n gryf mewn ysbrydion, cythreuliaid, llu o dduwiau ofnadwy—a hud a lledrith. Roedd dewiniaid a swynwyr yn bobol bwysig iddyn nhw, ac yn aml y dewiniaid oedd ar flaen y gad wrth ddarganfod mwy am y byd trwy wyddoniaeth a rhesymeg.'

Trodd Tom at y sarcoffagws. 'Ond roedd rhai dewiniaid yn edrych i mewn i bethau eraill. Gwyddorau cudd: atgyfodi'r meirwon, defnyddio ysbrydion a chythreuliaid fel gweision, a cheisio ffeindio ffordd i droi i mewn i ffurf a siâp anifeiliaid.' Trodd yn sydyn at y dosbarth, ei lygaid yn fflachio.

'Ac roedd un dewin am fynd yn bellach na phawb. Roedd e am fyw am byth. Ei enw oedd Xatlacan.' Ynganodd yr enw fel *Satlacan*, a'r enw'n atseinio'n fygythiol yn yr ystafell enfawr. 'Maen nhw'n dweud ei fod e wedi aberthu cannoedd o ddynion a gwragedd er mwyn defnyddio'u gwaed nhw i wneud y moddion arbennig a fyddai'n rhoi bywyd tragwyddol iddo.'

Gwrandawai'r dosbarth yn astud ar Tom erbyn hyn. Yn y tawelwch, roedd modd clywed sŵn y tâp a chwaraeai fel cefndir i'r olygfa aberthu. Teimlai Paul yn annifyr wrth wrando ar y sgrechfeydd gan feddwl am y bobl a gafodd eu lladd gan Xatlacan. Canolbwyntiodd unwaith eto ar stori Tom.

'Roedd y bobol yn y ddinas wedi cael digon ar

weld eu meibion a'u merched yn diflannu i ddyfnderau tywyll palas Xatlacan, a'r sgrechfeydd i'w clywed bob nos yn atseinio o'r tu hwnt i'r waliau uchel a golau rhyfedd i'w weld yn sgleinio drwy'r ffenestri. O'r diwedd, penderfynodd cannoedd o'r dinasyddion ymosod ar y palas.

'Mae'r haneswyr yn credu fod dros saith cant o bobol wedi ymgynnull o flaen y gatiau un noson, cyn eu bwrw ar agor a llifo i mewn i goridorau'r lle. Cafodd nifer eu lladd gan warchodwyr Xatlacan, ond roedd yna ormod o'r bobol i'r milwyr allu dal eu tir. Cyn bo hir, roedd y dewin wedi ei gornelu.'

Gostyngodd Tom ei lais. Yn ddisymwth, diffoddodd y tâp ofnadwy yn y cefndir. Symudodd un neu ddau o'r dosbarth yn anghyfforddus. 'Yn yr un ystafell roedd clamp o arch—y sarcoffagws hwn. Roedd gormod o ofn ar y bobol i geisio'i ladd, felly fe afaelon nhw ynddo fe a'i roi yn y sarcoffagws. Cafodd Xatlacan ei gau'n fyw yn yr union arch oedd i fod i roi bywyd tragwyddol iddo. A dyna lle yr arhosodd e nes i David Fitzwalter ei ddarganfod.'

Taflodd Paul gipolwg ar Hywel. Safai Hywel yn llonydd, ei lygaid yn syn. Pwysodd Paul tuag ato. 'Hei, Hyw, jest fel *Tomb Raider*, e?' Neidiodd Hywel fel pe bai sioc drydan wedi saethu drwyddo.

'Yffach, Paul, roiest ti fraw i fi!' Tynnodd

Hywel ei law ar draws ei dalcen yn or-ddramatig. 'Jest meddylia, cael dy gau'n fyw yn yr arch. *Ych a fi.* Dwi'm yn credu 'mod i'n hoffi'r Manataya 'ma.'

'Dwi'n gwybod beth ti'n feddwl,' meddai Paul.

'Paul Gruffudd a Hywel Taylor!' Torrodd llais Mrs Russell ar eu traws. 'Ydych chi'ch dau am rannu'r hanes â phawb arall yma?'

Gwridodd y ddau fachgen wrth sylweddoli fod pawb yn edrych arnyn nhw. 'Sori, Mrs Russell,' mwmialodd y ddau'n dawel.

'Iawn, jest dangoswch ychydig o fanyrs da o flaen Tom,' meddai Mrs Russell. Gan wneud yn siŵr nad oedd yr athrawes yn ei wylio, tynnodd Tom wyneb ffug-ofnus digri ar y ddau fachgen a'r lleill. Suodd ton o chwerthin drwy'r disgyblion. Roedd golwg ddig iawn ar wyneb Mrs Russell wrth i'r dosbarth godi cywilydd arni unwaith eto.

Yn union fel pe bai wedi troi swits, newidiodd Tom yn ôl i fod yn swyddog amgueddfa cyfrifol.

'Bydd y sarcoffagws yn cael ei agor nos yfory,' dechreuodd Tom, 'o flaen camerâu'r byd. Bydd David Fitzwalter yn bresennol yn y seremoni ac mae 'na sôn bydd y Dirprwy Brif Weinidog yma hefyd. Cofiwch wylio'r teledu nos yfory—a pheidiwch â chyffwrdd â dim, os gwelwch yn dda. Os oes gynnoch chi unrhyw gwestiynau, dewch ata i.'

Symudodd rhai o'r disgyblion tuag at Tom a cheisiodd Mrs Russell roi trefn ar y cwestiynu brwd. Oedodd eraill wrth y sarcoffagws, gan graffu arno fel pe baen nhw'n disgwyl gweld y corff trwy'r garreg drwchus.

'Ti'n credu'i fod e'n dal i mewn 'na?' gofynnodd Hywel.

'Ydw, sbo. Ond falle fod rhywun wedi lladrata'r corff,' atebodd Paul yn feddylgar. 'Fel yn yr Aifft . . . pobl yn dwyn stwff o'r pyramidiau.'

'Falle y gallwn ni ffeindio mas,' meddai llais arall. Agosaodd Martin at y rhaff oedd rhyngddyn nhw a'r sarcoffagws enfawr. 'Dwi'n credu mai twyll yw'r cyfan. Yr haneswyr 'ma sy wedi dyfeisio'r cwbl lot.'

Ysgydwodd Paul ei ben. 'Ie, Martin, a Steven Spielberg ddyfeisiodd y deinosôrs, mae'n siŵr. Paid â bod mor dwp!'

'Ti ddim yn gwybod popeth,' meddai Martin yn sbeitlyd, gan bwyso yn erbyn yr arch. Rhedodd flaenau ei fysedd dros y garreg arw.

'Martin, y lembo, alle'r peth 'na gwympo ar dy ben di!' meddai Hywel yn bryderus.

Dechreuodd Martin chwarae â'r cerflun bychan o'r aderyn ffyrnig wrth draed y ffigur dynol. Parot oedd hwnnw i fod, efallai, meddyliodd Paul. Edrychodd i gyfeiriad Mrs Russell a Tom, ond roedd y ddau'n rhy brysur yn siarad â gweddill y dosbarth i sylwi ar beth roedd Martin yn ei wneud.

'Martin, callia,' meddai Paul yn benderfynol.

'Neu beth?' gofynnodd Martin dros ei ysgwydd

mor sbeitlyd ag erioed. 'Paid â sôn, bydd y cyfan yn cwympo . . .'

Rhewodd wrth iddo glywed clic yn dod o gyfeiriad yr arch. Mewn un symudiad llyfn agorodd caead carreg yr arch fel drws gan ysgubo Martin o'r neilltu. Symudodd Hywel i roi help llaw i Martin gan adael Paul i syllu trwy niwl o lwch canrifoedd oed i grombil y sarcoffagws.

Gorweddai corff hen ddyn yno, wedi ei lapio mewn lliain gwyn. Er gwaetha'r ffaith fod croen ei wyneb cyn deneued â phapur, ymddangosai fel pe bai ond wedi bod yn yr arch ers rhai dyddiau.

Agorodd y dyn marw ei lygaid a syllu'n oeraidd ar Paul.

YR OGOF

Ar amrantiad, aeth popeth yn ddu ond roedd Paul wedi cau ei lygaid yn reddfol beth bynnag. Gwrandawodd am unrhyw sŵn, ond doedd dim i'w glywed. Ble roedd pawb? Pe bai ond yn agor ei lygaid fe gâi wybod yr ateb ond roedd gormod o ofn arno i wneud hynny. Ond gallai ddal i weld llygaid oeraidd, tywyll y corff, yn syllu'n ddidrugaredd arno, fel delwedd o hunllef nad oedd yn gallu'i hanghofio.

Tic tic tic.

Sŵn o'r diwedd. Gwrandawodd yn fwy astud. Tic tic tic. Rhywbeth caled yn taro yn erbyn carreg. A fan'na—sŵn dŵr yn llifo, yn bell, bell i ffwrdd. A rhyw arogl rhyfedd, rhywbeth chwerw'n llosgi. Gallai Paul deimlo dagrau'n dechrau cronni yn ei lygaid. Ble roedd e? Roedd yn rhaid iddo agor ei lygaid er mwyn cael gweld ond roedd yr ofn yn ei atal rhag gwneud hynny. Gwelodd ddarlun clir o lygaid oeraidd y corff yn ei feddwl . . .

O'r diwedd mentrodd Paul agor ei lygaid yntau. Daliodd ei anadl wrth weld beth oedd o'i

16

amgylch. Doedd dim sôn am yr amgueddfa a'i gyd-ddisgyblion! Ble'r oedd Mrs Russell, Tom a'r arddangosfa? A Hywel?

Safai Paul mewn clamp o ogof, yn ymestyn gannoedd o fetrau o'i flaen a dim ond metr uwch ei ben oedd y nenfwd. Ar hyd y waliau llosgai ffaglau enfawr, gan daflu cysgodion ar draws y llawr a'r nenfwd. Bob yn hyn a hyn, tasgai gwreichion o'r fflamau, gan dorri'r cysgodion yn ddarnau a'u gwneud yn fwy erchyll eu golwg. Camodd yn ôl wrth i un o'r cysgodion agosáu ato, bron fel pe bai'n greadur byw yn estyn am ei droed.

Rhoddodd Paul waedd fechan a chwythu mas yr anadl roedd yn ei ddal. Brwydrodd i gael ei wynt ato. Yn ddirybudd teimlodd *rywbeth* yn llusgo tuag ato o'r tu ôl iddo. Trodd ar ei sawdl i weld carreg enfawr yn un wal solet lai na thrwch blewyn o'i flaen. Camodd am yn ôl. Gyda sŵn llusgo garw, symudodd y garreg tuag ato. Camodd Paul am yn ôl eto. Symudodd y garreg drwch blewyn arall tuag ato unwaith yn rhagor.

Trodd Paul a rhedeg yn wyllt i'r cyfeiriad arall. Clywai sŵn y garreg yn llusgo'n drymaidd ar ei ôl.

Yn ddirybudd, peidiodd y sŵn garw y tu cefn iddo ac yn y tawelwch annisgwyl clywodd Paul y sŵn arall hwnnw: tic tic tic. Sylweddolodd ei fod mewn ogof fwy, cyn hired â'r llall, ond prin y gallai weld y nenfwd yn awr, ddegau o fetrau uwch ei ben. Edrychodd yn nerfus y tu ôl iddo ond doedd 'na'r un awgrym nac arlliw o'r ogof isel, gyntaf, dim ond un wal garreg lem yn ymestyn i'r pellter bob ochr iddo.

Tic tic tic.

Â'i galon yn curo'n boenus o galed yn ei frest, trodd Paul yn lluddedig yn ôl i ganol yr ogof newydd, a'i goesau'n teimlo'n flinedig a di-deimlad. Brwydrodd i gadw'r dagrau rhag disgyn o'i lygaid. Craffodd i ben arall yr ogof. Deuai'r golau o fflamau isel a losgai mewn dysglau llydan o lo gwynias, y dysglau wedi eu gosod ar gerrig crwn, isel. Gwyliodd Paul yn ddiymadferth wrth i'r cysgodion estyn am ei draed. Gallai weld y siapau tywyll yn ymffurfio'n grafangau milain, duon a'r bysedd hirion, miniog yn symud ar draws y llawr tuag ato.

Rhedodd ymlaen i ben arall yr ogof, gan adael y cysgodion erchyll y tu ôl iddo. Oedodd a gwrando unwaith eto, gan sychu'r chwys oddi ar ei dalcen. Rhoddodd waedd annisgwyl wrth sylweddoli beth oedd yn ei wisgo. Beth oedd wedi digwydd i'w ddillad ysgol? Yn eu lle gwisgai diwnig ysgafn, tebyg i'r hyn a wisgai'r Eifftiaid gynt—neu'r Manataya yn yr arddangosfa! Teimlodd ias oer yn rhedeg ar hyd ei freichiau wrth sylweddoli hynny.

Tic tic tic. Yr un sŵn caled hwnnw, ond yn uwch y tro hwn. A sŵn dŵr yn llifo unwaith eto. Gallai weld rhyw fath o ddrws pren garw yn y wal o'i flaen. Camodd yn betrusgar tuag ato ac estyn yn araf am y ddolen bren. Agorodd y drws gyda gwich.

Teimlodd Paul chwa o awel gynnes yn taro'i wyneb wrth i'r drws agor. Syllodd yn syn ar yr olygfa ryfedd o'i flaen. Mewn ogof fawr arall, un hir, isel, debyg i'r ogof gyntaf, safai rhesi o ddynion a gwragedd, wedi eu gwisgo'n debyg i Paul. O weld lliw euraid tywyll eu croen, a'u llygaid tywyll, tybiai Paul mai Manataya oeddynt. Trodd pob pen i edrych arno wrth iddo gamu i mewn i'r ogof a theimlodd ias oeraidd yn crafangu i lawr ei gefn wrth i'w llygaid tywyll syllu arno'n ddidrugaredd.

Er gwaetha'i ofn, dechreuodd Paul gerdded rhwng y ddwy linell hir o bobl i ben pella'r ogof. Taflai fflamau'r ffaglau ar y waliau gysgodion ar draws yr wynebau caled, a'r cysgodion yn edrych fel tatws hyll ar eu gruddiau. Ceisiodd Paul eu hanwybyddu, ond roedd rhywbeth yn eu llygad-rythu milain yn tynnu ei sylw'n ôl i'r llygaid tywyll dro ar ôl tro.

Nes iddo glywed sŵn dŵr yn llifo unwaith eto. Gwelodd fod dŵr yn llifo o'r nenfwd ac i lawr y waliau y tu ôl i'r ddwy linell o bobl. Er ei waethaf, symudodd yn agosach i'r wal ar ei ochr dde i weld o ble'n union y deuai'r llifeiriant di-stop. Ymddangosai o'r nenfwd—ni allai weld na hollt na thwll yn y graig, ond daliai'r dŵr i lifo i lawr y graig dywyll cyn diflannu i'r llawr.

Roedd lliw'r dŵr yn dywyll yn erbyn y graig, ond wrth i wreichion dasgu o ffagl gyfagos cododd teimlad cyfoglyd i gorn gwddf Paul. Nid dŵr ond *gwaed* oedd yn llifo'n donnau i'r llawr! Wrth iddo sylweddoli hynny dechreuodd y llifeiriant gasglu wrth ei draed ac yn fuan roedd tonnau coch erchyll yn tasgu dros draed noeth Paul.

Ac yntau ar fin sgrechian, clywodd Paul y sŵn arall: tic tic tic. Gwibiodd ei lygaid i bob cyfeiriad nes iddo weld o ble y deuai'r sŵn. Ym mhen arall yr ogof, ar orsedd o benglogau, eisteddai hen ddyn musgrell—y dyn a welsai'n gorwedd yn y sarcoffagws yn yr amgueddfa.

Syllai gyda'r un llygaid oeraidd ar Paul, a'r llygaid yn culhau fymryn wrth iddo astudio'r bachgen a safai'n nerfus o'i flaen. Roedd ewinedd hirion, budr un o ddwylo'r dewin yn taro braich yr orsedd yn araf: tic tic tic. Erbyn hyn, dim ond y sŵn iasol hwnnw—tic tic tic—oedd yn llenwi pen Paul.

Cododd yr hen ŵr ei law denau arall ac amneidio ar Paul i ddod yn agosach. Roedd pob asgwrn a chyhyr yng nghorff Paul yn ymbil arno i droi a ffoi, ond er ei waethaf symudodd yn agosach at yr orsedd enbyd. Wrth iddo wneud hynny dechreuodd corff yr hen ddyn newid yn arswydus o'i flaen. Trodd ei law'n grafanc gennog wrth i wyneb y dewin hynafol newid ei ffurf. Yn sydyn, roedd yna ben parot yn lle'r pen dynol.

Tic tic tic.

Agorodd y dyn-barot ei big a rhoi sgrech uchel iasol. Aeth popeth yn ddu.

4

TƐML

'Sioc, mae'n debyg. Dyna'r cyfan sydd o'i le, dwi'n credu.'

Symudodd y meddyg at droed y gwely a darllen siart Paul. Taflodd gipolwg ar Paul a rhoi winc fach iddo, cyn troi at ei rieni oedd yn eistedd yn dawel wrth ymyl y gwely. 'Dwi am edrych ar un neu ddau o ganlyniadau'r profion, ond dwi'n siŵr y gall Paul fynd adre heno.'

'Diolch byth,' meddai Mrs Gruffudd. 'Fe gethon ni lond bol o ofon pan ffoniodd Mrs Russell o'r amgueddfa bore 'ma.' Nodiodd Mr Gruffudd ei ben yn araf y tu ôl i'w wraig. 'Ro'n i'n disgwyl y gwaetha,' aeth Mrs Gruffudd yn ei blaen. 'Ry'ch chi'n gweld shwt gymaint o raglenni teledu'r diwrnode 'ma, ma'r cyfan yn hala chi i boeni . . .'

Gorffwysodd Mr Gruffudd ei law'n ysgafn ar fraich ei wraig. 'Non, paid ag ypseto dy hun eto,' meddai'n dawel. 'Mae Paul yn olreit. Fe glywest ti beth ddwedodd y doctor gynne fach, on'd do fe?'

Gyda hynny, gwenodd y doctor a symud at y

claf nesaf yn y ward. Ochneidiodd Paul yn dawel bach wrth wylio'r got wen yn cilio. Doedd e erioed wedi hoffi ysbytai oddi ar iddo orfod cael ei apendics mas ddwy flynedd ynghynt. Fedrai e ddim dioddef arogl y lle. A doedd deffro'n annisgwyl yma ddim yn helpu'r un gronyn, chwaith.

Torrodd llais tawel ei dad ar draws ei synfyfyrio. 'Paul? Glywest ti fi?'

'Sori, Dad, be wedest ti?' gofynnodd Paul.

'O'n i'n dweud, wyt ti'n cofio be ddigwyddodd i ti bore 'ma?'

Ysgydwodd Paul ei ben yn araf. 'Nagw, ddim felly. Ro'dd Martin yn ffidlan gyda'r . . . ym . . . *sarcoffagws* 'na ac wedyn . . .' Rhwbiodd Paul ei wyneb yn flinedig. 'Wel, y peth nesa dwi'n cofio yw deffro fan hyn.'

'Ma'r doctor yn dweud dy fod ti wedi llewygu'n sydyn a bwrw dy ben pan gwympest ti'n ôl,' meddai ei fam yn bryderus. 'Dyna pam ro'dd rhaid iddo fe wneud yr holl brofion 'na, i wneud yn siŵr nad o'dd yna unrhyw niwed parhaol i ti.'

'Non, paid â phoeni'r bachgen,' meddai ei dad yn addfwyn. 'Ac os nad yw'r *Playstation* 'na wedi gwneud niwed parhaol i'w ben e, wneiff dim byd.'

Trodd Non Gruffudd at ei gŵr. 'Bob, dwi'n bownd o boeni.'

Chwarddodd Paul. 'Na, Mam, ma' Dad yn iawn. 'Sdim ishe poeni. Dwi'n ocê,' meddai'n ysgafn. 'Dwi'm yn poeni. Dwi jest wedi blino nawr. Roedd hi'n arddangosfa ddigon cyffrous heb sôn fod hyn wedi digwydd.'

Gwenodd ei rieni a chodi o'u cadeiriau. 'O'r gore, Paul,' meddai ei fam, 'wnewn ni adael i ti gysgu 'te. Fe ddewn ni'n ôl heno i dy godi di, ocê? Wyt ti moyn unrhyw beth—comics, dy *Gameboy*?'

'Na, dwi'n *iawn*. Fe wela i chi heno,' meddai Paul, gan gau ei lygaid yn flinedig. Teimlodd ei fam yn rhoi cusan iddo ar ei dalcen cyn clywed y ddau'n cerdded i ffwrdd, gan siarad yn dawel â'i gilydd.

Arhosodd funud cyn agor ei lygaid unwaith eto. Roedd hi'n braf gweld ei rieni ond weithiau . . . Weithiau fe allai ei fam fynd dros ben llestri. Doedd e ddim yn fachgen bach mwyach ac roedd hi'n dueddol o anghofio hynny'r funud y byddai'r peth lleia'n mynd o'i le. Ond roedd hi'n braf gwybod eu bod nhw'n poeni ac yn gofalu amdano, serch hynny.

Cododd ar ei eistedd ac edrych o amgylch y ward. Doedd 'na fawr o neb yno gyda phob un ond dau o'r saith gwely arall yn wag am y tro. Yn y gwely nesaf ond un gorweddai bachgen ifanc â'i gefn tuag ato, ei wallt coch garw'n domen aflêr ar y gobennydd gwyn. Gallai Paul weld darn bychan o groen gwelw gwar y llanc yn syllu arno fel llygad aflan drwy'r das wair danbaid. Anesmwythodd Paul wrth edrych arno, gan daflu golwg ar yr unig glaf arall yn y ward fechan. Doedd fawr o hwnnw, neu honno, i'w weld am fod y sgrin werdd wedi ei gosod i fyny o amgylch y gwely, ond bob yn hyn a hyn deuai sŵn griddfan tawel o'r tu hwnt i'r llenni.

Swatiodd Paul yn annifyr dan ei ddillad gwely yntau. A dweud y gwir, roedd mwy na ward yr ysbyty wedi'i anesmwytho. A dyna'r broblem a dweud y gwir. Roedd Paul yn cofio'n glir beth ddigwyddodd y bore hwnnw yn yr amgueddfa, er gwaetha'r hyn a ddywedodd wrth ei rieni'n gynharach.

Ni fedrai yn ei fyw anghofio'r llygaid oeraidd a fu'n syllu arno o grombil y sarcoffagws. Rywle yng nghefn ei ben, gwyddai nad oedd y peth yn bosibl. Os mai Xatlacan oedd yn y sarcoffagws, fe ddylai fod wedi marw ers dros dair mil o flynyddoedd. Ond doedd 'na ddim amau'r hyn a welodd â'i lygaid ei hun: corff dyn marw'n dod yn fyw. Ac yna'r ogofâu erchyll hynny, a Xatlacan ar ei orsedd arswydus o benglogau yn troi'n ddyn-barot ofnadwy . . .

Rhedodd ias drwyddo a chaeodd ei lygaid yn dynn er mwyn ceisio cael gwared â'r lluniau arswydus o'i feddwl. Ceisiodd feddwl am bethau eraill—gêmau cyfrifiadur, gêmau pêl-droed, unrhyw beth ond y corff a'r ogof. Teimlai'n gynnes yn y gwely a dechreuodd deimlo tonnau o flinder yn llifo drwy'i gorff. Ymhen rhai munudau, roedd Paul yn cysgu'n drwm.

Dechreuodd y freuddwyd bron ar unwaith.

Poeth. Roedd hi'n eithriadol o boeth. Teimlai Paul yn anghyfforddus. Glynai ei ddillad nos i'w gefn, a gwlybaniaeth y jyngl o'i amgylch yn gymysg â chwys. Jyngl? Sylweddolodd Paul ei fod yn sefyll mewn llannerch fechan mewn jyngl trofannol. O'i amgylch hedfanai pryfed ac adar estron; clywai synau anifeiliaid eraill, rhai mwy o faint o bosib, yn dod o'r tu draw i'r wal werdd drwchus oedd o'i gwmpas. A doedd e'n sicr ddim am gwrdd â'r rheiny!

Ym mhen arall y llannerch roedd adfeilion rhyw adeilad. Edrychai'n debyg i un o'r temlau Aztecaidd a welodd unwaith ar raglen deledu fisoedd yn ôl. Yna, heb wybod yn iawn pam, dechreuodd Paul symud yn betrusgar tua'r adfail. Ceisiodd droi i ffwrdd ond ni fedrai wneud dim i atal ei goesau rhag ei gario'n agosach, yn agosach at yr hen deml. Wrth nesáu at yr adeilad hynafol sylweddolodd ei fod ar ffurf pyramid amrwd, gyda rhes o risiau garw'n ymestyn i fyny'r ochr agosaf ato. Ar gopa'r deml roedd adeilad bychan arall, hirsgwar heb yr un ffenest ynddo ond gydag agoriad drws, porth tywyll, ar ben ucha'r grisiau.

Ymladdodd Paul yn galetach i symud i'r cyfeiriad arall, i stopio, i benlinio, i wneud *unrhyw beth* heblaw symud tuag at y deml. Rhoddodd ei droed ar y gris cyntaf, gan deimlo'r garreg yn crafu gwadn ei droed noeth fel papur tywod. Fe deimlai'r grisiau mor real dan ei draed.

Breuddwyd, rhaid iddo gofio mai breuddwyd oedd y cyfan. Ond wrth iddo lusgo'i draed fesul gris tuag at frig y deml teimlai Paul fymryn mwy o ofn yn treiddio drwyddo: beth os nad breuddwyd mo'r cyfan? Beth os oedd e, rywsut, wedi cael ei symud i'r lle ofnadwy hwn, drwy ryw hud neu ledrith?

Ac os nad breuddwyd mohono, beth fyddai'n digwydd iddo wedi iddo gyrraedd y porth tywyll uwchben? Ond heb hidio dim am ei bryderon, symudai coesau Paul yn fecanyddol, gan ei gario'n agosach at y lle ofnadwy hwnnw. Gwyddai fod rhywbeth erchyll yn aros amdano yno, yn aros i'w . . .

Llai na deg cam i ffwrdd . . . naw . . . wyth . . . O'r pellter hwn gallai Paul weld y cerfluniau oedd wedi eu naddu i'r waliau o bobtu'r drws: anifeiliaid rhyfedd, golygfeydd erchyll. Gafaelodd yn un o'i goesau â'i ddwylo, gan geisio ei stopio rhag symud, ond roedd nerth chwech o bobl yn ei goesau, yn eu symud yn ddidostur tua'r drws. Tri . . . dau . . . un. O'r diwedd, safai Paul o flaen y porth dudew.

Ac o'r tywyllwch saethodd braich fain tuag ato, braich denau hen ŵr a'r llaw'n crafangu am ei wddf.

5

RHYWBETH OFNADWY

Deffrodd Paul i'w gael ei hun yn ymladd â phâr o ddwylo estron. Yn raddol roedd y dwylo hynny'n cael y gorau arno ac o fewn dim roedd ei freichiau wedi eu gwasgu'n dynn i lawr ar y gwely. Syllai Paul yn ddiymadferth i lygaid . . . Hywel.

'Paul! Paul! Paid! Aros yn llonydd, 'chan!' meddai Hywel yn daer.

'Be-be? . . . O . . . ocê, Hyw,' meddai Paul yn dawel. 'Sori . . . Gad fi fynd, wnei di.'

Llaciodd Hywel ei afael ar freichiau Paul ac eistedd ar un o'r cadeiriau wrth y gwely. Gan geisio cael ei wynt ato, gwthiodd ei sbectol yn ôl ar ei drwyn ac ysgwyd ei ben. 'Yffach, Paul, beth oedd y freuddwyd 'na? Ysgydwes i ti i dy ddeffro di ac fe est ti'n wyllt reit. A drycha arnat ti—ti'n chwys domen!'

Tynnodd Paul ei law ar draws ei dalcen a syllu'n syn ar y gwlybaniaeth arni. Roedd Hywel yn llygad ei le; gallai deimlo'i ddillad nos yn glynu i'w gefn.

Yn union fel yn y freuddwyd. Tybed . . ?

'Pryd gyrhaeddest ti, Hyw?' gofynnodd yn dawel.

'Munud neu ddau'n ôl. 'Nath Mam 'y ngollwng i wrth y drysau a bydd hi'n dod i 'nghasglu i 'mhen rhyw hanner awr.'

'Beth . . . fe est ti gartre'n gynnar?'

Crychodd Hywel ei dalcen. 'Y? Beth ti'n feddwl? Mae'n hanner awr wedi pedwar.'

Tro Paul oedd hi i ysgwyd ei ben yn awr. 'Jiw, dwi wedi bod yn cysgu ers orie!' Estynnodd am lasaid o ddŵr oddi ar y cwpwrdd bychan wrth y gwely. 'Beth ddigwyddodd bore 'ma?'

'O'n i'n meddwl dy fod ti'n mynd i sôn am dy freuddwyd,' meddai Hywel.

'Bore 'ma gynta, ac wedyn cei di glywed am y freuddwyd,' atebodd Paul, braidd yn swta.

'Ocê, ocê, sdim ishe i ti fod fel'na,' meddai Hywel, wedi ei frifo.

'Drycha, Hyw, mae'n ddrwg gen i,' meddai Paul. 'Mae hi 'di bod yn ddiwrnod ofnadwy ac mae'r freuddwyd 'na wedi codi ofon arna i. Sori. Beth ddigwyddodd?'

'Wel, fe agorodd caead y sarcoffagws 'na ac aeth popeth yn boncyrs. Panic sentral, wir i ti. O'dd Martin yn gweld sêr, est ti lawr fel sached o dato, wedyn 'ny roedd Mrs Russell yna fel shot a'r Tom 'na'n siarad yn wyllt i mewn i *walkie-talkie* fel pe bai Arlywydd y Stêts wedi cael ei saethu neu rwbeth. Wedi *'ny*, fe ddaeth lot o bobol o nunlle, pobol yr amgueddfa sbo, yn cau'r sarcoffagws ac yn gwthio ni i gyd bant. Ro'dd rhaid i ni adael y lle wedyn a mynd 'nôl i'r ysgol a'r Prifathro'n mynd mla'n a mla'n a mla'n am "enw da'r ysgol" . . . bla bla bla.'

Tawelodd Hywel yn ddisymwth. 'Ond beth dwi ishe gwybod yw beth welest ti? Beth ddigwyddodd i hala ti i lewygu fel'na? O'dd popeth mor wyllt, weles i na neb arall ddim byd yn y sarcoffagws. Fe gaeodd pobol yr amgueddfa fe mor glou.'

Rhoddodd Paul ochenaid hir, fel chwibaniad heb sŵn. Yn sydyn, teimlai'n oer a thynnodd y dillad gwely'n dynn amdano. 'Ers faint y'n ni'n nabod ein gilydd, Hyw?'

Syllodd Hywel yn syn ar Paul, fel pe bai ei ffrind wedi gwallgofi'n llwyr. 'Beth sy 'da hwnna i wneud ag unrhyw beth?'

'Plîs, Hyw, jest ateba fi.'

'Wel, blynydde. Ers dyddie'r ysgol fach, sbo.'

Amneidiodd Paul. 'Ac wyt ti wedi credu'r pethe dwi wedi'u dweud wrthot ti drwy'r amser yna?'

Tynnodd Hywel ei sbectol i ffwrdd ac estyn am hances boced. Dechreuodd lanhau'r gwydrau ac atebodd heb edrych ar Paul. 'Yffach, Paul, ma' hyn i gyd braidd yn hèfi. Gwmws fel episôd o *Friends* neu rywbeth.'

'Hyw—'

'Ocê, ocê.' Rhoddodd Hywel ei sbectol ymlaen unwaith eto cyn edrych i fyw llygaid Paul. 'Ydw, dwi'n dy gredu ti pan wyt ti'n dweud pethe. Heblaw am sut wyt ti'n credu y sortith y

Premiership mas, wrth gwrs!' Chwarddodd y ddau fachgen am eiliad neu ddwy cyn tawelu unwaith eto.

'Reit, Hyw. Bore 'ma, pan agorodd caead y sarcoffagws, fe weles i gorff y boi 'na, Xatlacan. A mwy na hynna . . .' Oedodd Paul, yn ansicr a ddylai ddwyud y cyfan wrth ei ffrind gorau. '. . . fe agorodd e 'i lygaid ac edrych arna i.'

Roedd Hywel yn dal i syllu'n swrth ar Paul. Dechreuodd hwnnw ddifaru ryw fymryn ei fod wedi dechrau dweud yr hanes. Oedodd, ond yna aeth ymlaen i sôn am yr ogof a'r dyn-barot erchyll. Dal i syllu a wnâi Hywel. Roedd goleuadau'r ward wedi eu troi ymlaen erbyn hyn a deuai sŵn griddfan o'r tu ôl i'r llenni gwyrdd y pen arall i'r stafell. Penderfynodd Paul roi stop ar ei stori am y tro.

'Dere, Hyw, dwed rwbeth,' meddai Paul yn ddistaw. 'Paid â jest ishte 'na'n dal clêr.'

Ymysgydwodd Hywel drwyddo o'r diwedd. 'Paul, 'chan, ma' hyn *yn* hèfi, braidd. Wir, agorodd y boi ei lyged?'

'Wir. Onest tw gòd.'

'Beth ti'n mynd i wneud?' gofynnodd Hywel, a'i lais yn troi'n wich uchel. Pesychodd cyn mynd yn ei flaen. 'Wyt ti'n mynd i ddweud wrth rywun yn yr amgueddfa? Wedest ti wrth dy fam a dy dad?'

Chwarddodd Paul yn ddi-hiwmor. 'Ti'n credu nelen nhw 'nghredu i am funud?'

'Na, sbo.'

'A dwi'n credu fod pethe'n waeth na 'ny hefyd.'

'Yn waeth?' gwichiodd Hywel. 'Sut all pethe fod yn waeth na 'ny?'

'Y freuddwyd na nest ti 'neffro i ohoni . . .'

Gwibiodd rhywbeth tebycach i ofn na syndod ar draws wyneb Hywel. 'Ie?' gofynnodd, a'i lais fawr uwch na sibrydiad.

'Fe freuddwydies i 'mod i mewn jyngl, jest fel yr un ro'dd yr . . . ym . . . Manataya 'na'n byw ynddo. Roedd 'na deml a grisie ac ro'n i'n cael 'yn llusgo i fyny'r grisiau i dop y deml . . . A ta p'un, ar ôl i fi weld llyged y boi'n agor a'th popeth yn ddu ac wedyn o'n i mewn ogof gyda gwa'd yn llifo lawr y walie. O, gòd . . .' Ysgydwodd Paul ei ben yn anobeithiol wrth i'r holl ddigwyddiadau fygwth ei lethu am funud.

'Paul, wyt ti'n gwbod pa mor boncyrs ma' hyn i gyd yn swnio?' torrodd Hywel ar ei draws.

'Hywel, *gwranda*,' meddai Paul yn daer. 'Ti'm yn gweld y pwynt.'

'Pa bwynt?'

'Dwi'n credu fod rhywbeth ofnadwy wedi digwydd pan agorodd y corff 'na ei lygaid. Dwi'n credu fod Xatlacan ar fy ôl i a dwi'm yn gwybod beth neith e pan neith e 'nala i.'

FITZWALTER

'Wyt ti'n gyfforddus? Wyt ti ishe rhywbeth arall i'w fwyta?'

'Mam, paid â ffysan, dwi'n iawn,' meddai Paul yn swrth, gan wthio'r flanced roedd ei fam yn dal yn ei llaw i'r naill ochr. Symudodd ei goesau oddi ar y soffa ac edrych yn ymbilgar ar ei dad.

Gwenodd ei dad arno dros dop ei bapur newydd. 'Paid â bod mor bigog, Paul,' meddai, yn ei lais tawel arferol. 'Ry'n ni'n poeni amdanat ti, 'na i gyd. Nid *bob* dydd rwyt ti'n treulio amser yn yr ysbyty, ti'n gwbod.' Diflannodd y tu ôl i'r papur newydd unwaith eto.

Teimlodd Paul ei wyneb yn cynhesu. Edrychodd i fyny ar ei fam oedd yn dal i hofran yn bryderus gerllaw. 'Sori, Mam,' meddai'n wylaidd. ''O'n i ddim yn bwriadu bod yn bigog. Dwi jest yn teimlo'n olreit. Falle dylen i fod wedi mynd i'r ysgol wedi'r cyfan heddi.'

'Dwi ddim yn siŵr am hynny,' atebodd ei fam yn ddigon ysgafn. 'Mae'n siŵr na fyddet ti'n teimlo cystal ar ôl diwrnod yn yr hen ysgol 'na.'

Taflodd y flanced dros gefn y gadair esmwyth gyfagos. 'Gwranda, ti'n moyn paned?'

'Odw, plîs,' atebodd Paul.

Diflannodd ei fam i'r gegin a'i adael yn syllu ar y teledu. Ni fedrai ganolbwyntio ar y rhaglen ddwl oedd ymlaen. Efallai fod ei fam yn iawn. Roedd e'n teimlo'n olreit yn gorfforol, a chanlyniadau profion yr ysbyty yn cadarnhau hynny cyn iddo adael y lle neithiwr, ond . . . Ond roedd rhywbeth yn dal i'w blagio ac ni fedrai yn ei fyw roi ei fys ar y peth. Fyddai diwrnod yn yr ysgol mor fuan ar ôl digwyddiadau rhyfedd y diwrnod cynt ddim wedi ei helpu'r un gronyn i hel ei feddyliau.

Roedd hi'n wir fod y freuddwyd yn parhau'n fyw yn ei ddychymyg o hyd, yn fwy byw na'i brofiadau wedi ei wisgo fel Manatayad yn yr ogofâu. Mynnai'r ddelwedd o'r llaw ofnadwy honno aros yn ei feddwl, waeth beth y ceisiai ei wneud i'w hanghofio. Ond roedd yna rywbeth arall yn cosi yng nghefn ei ben, rhywbeth na fedrai roi enw iddo. *Rhywbeth nad oedd yn perthyn yno.* Oerodd Paul drwyddo. O ble daeth y syniad hwnnw?

'Paul?'

Torrodd llais ei fam ar draws ei synfyfyrio. Roedd hi'n estyn mŵg o de iddo. 'Mae'n gas 'da fi ofyn eto, ond wyt ti'n siŵr dy fod ti'n olreit, Paul?'

Cymerodd Paul y mŵg a gwenu'n wannaidd ar ei fam. 'O, dwi'n olreit, Mam, jest yn meddwl.'

Ceisiodd wneud y wên yn un go iawn a'r un orau y gallai. 'Lot i feddwl drosto ar ôl ddoe.'

'Paid straenio dy hun gyda'r holl feddwl 'na,' atebodd ei fam gan eistedd yn y gadair esmwyth. 'Jest ymlacia . . .'

'Hei, mae'r sarcoffagws yna'n cael ei agor nawr,' meddai ei dad yn ddisymwth. 'Non, lle ma'r teclyn 'na?' Rhoddodd ei dad ei bapur newydd i'r naill ochr a dechrau chwilota am y *remote control* i'r teledu.

'Mae e yn yr un lle ag arfer,' meddai hithau'n amyneddgar. Symudodd Paul i ymyl y soffa ac estyn o dan gadair esmwyth ei dad a darganfod y teclyn bach du. Estynnodd ef i'w dad.

'Ym . . . diolch, Paul,' meddai ei dad yn lletchwith. 'Reit, pa sianel? A! Dyma ni.' Trodd y tri i edrych ar y teledu. 'Falle gei di fènsh ar y teledu, Paul, ti byth yn gwbod.'

'Dwi'm yn credu, rywsut, Dad,' meddai Paul yn amheus. Weithiau fe allai ei dad ddweud y pethau mwya twp.

Roedd y sgrin yn dangos Amgueddfa'r Ddinas o'r stryd '. . . *ac ar ôl darganfyddiad rhyfeddol David Fitzwalter fe gafodd yr arddangosfa ryfeddol hon ei chreu yn yr Amgueddfa.*' Newidiodd y lluniau i ddangos yr arddangosfa ei hun. '*Anaml iawn y bydd un darganfyddiad yn llwyddo i ddatgelu cymaint o wybodaeth am unrhyw wareiddiad ac mae'n sicr y bydd enw*

David Fitzwalter yn gysylltiedig â theyrnas y Manataya am flynyddoedd.'

Erbyn hyn roedd y rhaglen yn dangos y cerfluniau o dduwiau'r Manataya. Wrth i'r camera oedi ar yr hanner dyn, hanner aderyn, dechreuodd Paul anesmwytho. Ai dyna beth welodd e yn yr ogof olaf honno? Anesmwythodd yn fwy wrth i'r llun newid unwaith eto a chlywed y geiriau nesaf. *'Uchafbwynt yr arddangosfa yw'r sarcoffagws enfawr hwn. Ac yma i ddweud mwy amdano mae David Fitzwalter ei hun.'*

Trodd y camera tuag at ŵr barfog, cydnerth, ei groen yn dangos ôl blynyddoedd o haul trofannol. Gwenai'n llydan wrth siarad â'r cyflwynydd gyda chamerâu'r wasg yn fflachio yn y cefndir bob yn hyn a hyn.

'David Fitzwalter, fedrwch chi esbonio arwyddocâd y sarcoffagws hwn i'r gwylwyr?'

'Â phleser.' Roedd llais yr archaeolegydd yn ddwfn a melfedaidd. Symudodd y camera i ffwrdd i ddangos clawr y sarcoffagws yn fwy manwl. *'Ry'n ni'n ffyddiog y bydd y sarcoffagws hwn yn profi nad yr Eifftiaid oedd yr unig bobol oedd yn gwybod sut i atal cyrff rhag dirywio wedi marwolaeth y person. Ac yn fwy na hyn, ry'n ni'n eitha ffyddiog pan agorwn ni'r sarcoffagws arbennig hwn y bydd yr hyn sydd y tu mewn yn dangos fod y Manataya yn fwy o feistri ar y grefft na'r Eifftiaid.'*

Roedd sylw Paul wedi ei hoelio ar y rhaglen erbyn hyn. Gwyddai fod ei fam a'i dad yn cil-edrych arno ond daliodd i ganolbwyntio ar y rhaglen. Gallai gofio'n iawn beth roedd wedi ei weld yn y sarcoffagws. Pam oedd David Fitzwalter yn esgus nad oedd yn gwybod unrhyw beth? Mae'n rhaid ei fod e neu rywun o'r amgueddfa wedi gweld *rhywbeth* pan gafodd y sarcoffagws ei gau ar ôl y digwyddiad ddoe. Dechreuodd teimlad annifyr chwarae ar war Paul, rhywbeth bach oedd yn ei blagio am y sarcoffagws.

'Oes yna wirionedd yn y si fod y sarcoffagws eisoes wedi cael ei agor gan blentyn ysgol ddoe?' gofynnodd y cyflwynydd.

'Hei, dyma ni,' meddai Mr Gruffudd yn gyffrous.

'Dad . . .'

Ni symudodd y wên lydan oddi ar wyneb David Fitzwalter. *'Na, dim o gwbl. Dyma'r tro cyntaf i'r corff arbennig hwn weld golau dydd.'* Ochneidiodd ei dad yn uchel yn y cefndir. Cyhoeddusrwydd, dyna oedd yr ateb, meddyliai Paul. Roedd Fitzwalter eisiau'r clod i gyd ei hun am bopeth.

'Mae 'na sawl si yn gysylltiedig â'r person arbennig hwn,' meddai'r archaeolegydd, y wên hunanfoddhaus yn annioddefol erbyn hyn. *'Mae nifer o haneswyr yn credu mai dewin oedd e, ac un oedd wedi darganfod cyfrinach bywyd*

tragwyddol.' Trodd y wên yn chwerthiniad. '*Rwy'n siŵr y cawn ni weld heno nad oes yna lawer yn hynny.*'

Trodd yr archaeolegydd a'r cyflwynydd i wrando ar rywun yn dweud rhywbeth allan o olwg y camera. Ymhen eiliad tynnodd y camera'n ôl i ddangos yr archaeolegydd yn sefyll o flaen y sarcoffagws a chyflwynydd y rhaglen yn ymuno â gwŷr camera'r wasg.

'*Dyma ni,*' meddai David Fitzwalter, '*un o ddigwyddiadau mawr hanes yn dod yn fyw o flaen eich llygaid.*'

Teimlai Paul yn oer.

'*Ry'n ni'n barod i agor y sarcoffagws hwn, sarcoffagws sy'n dal corff Xatlacan, dyn oedd yn byw yn nheyrnas y Manataya dros dair mil o flynyddoedd yn ôl.*' Ymddangosodd dau ddyn o bobtu'r sarcoffagws. Lledodd yr archaeolegydd ei ddwylo, fel pe bai'n cyflwyno syrcas yn lle darganfyddiad hanesyddol o bwys. '*Foneddigion a boneddigesau—dyma Xatlacan.*'

Gwthiodd un o'r dynion rywbeth ar gaead y sarcoffagws ac am yr eildro mewn deuddydd gwyliodd Paul y caead yn agor yn esmwyth. Teimlodd rywbeth yn crafangu yn ei stumog.

Y tro hwn gwyddai Paul beth i'w ddisgwyl.

Fflachiodd y camerâu'n wyllt. Diflannodd y wên hunanfoddhaus oddi ar wyneb David Fitzwalter.

Roedd y sarcoffagws yn wag!

7

Y MAES CHWARAE

'Welest ti'r rhaglen neithiwr?' gofynnodd Hywel
yn gyffrous yn yr ysgol fore trannoeth. Siaradai â
Paul mewn cornel dawel o iard yr ysgol. O fewn
pum munud i gyrraedd yr ysgol roedd Paul wedi
cael digon ar sylwadau'r disgyblion eraill.

'Hei, Rityrn of ddy Lifing Dèd!'

'Gysgest ti yn y fynwent gyda dy fêts neithiwr,
Gruffudd?'

Pan gyrhaeddodd Hywel a gweld ei ffrind ar yr
iard ceisiodd guddio'i syndod. Edrychai Paul mor
flinedig ac roedd ei groen yn welw, heb ei liw
iach arferol. Gafaelodd Hywel ym mraich Paul a'i
arwain i le mwy tawel wrth y gampfa.

'Do,' sibrydodd Paul o'r diwedd. 'Fe weles i'r
rhaglen. Ma'r peth yn mynd yn waeth, Hyw. Beth
dwi'n mynd i wneud? O'n i'n gwbod y bydde'r
arch 'na'n wag.'

'Nefar!'

'O'n, wir i ti!' Edrychodd Paul yn bryderus ar
ei ffrind. 'Mae Xatlacan ar fy ôl i. Hyw, ma' arna
i ofon.'

'Hei, aros funud,' meddai Hywel. 'Paid â mynd

o fla'n gofid. Dwi'n gwybod fod y freuddwyd 'na'n eitha realistig ond fe alle 'na fod lot o resymau pam fod yr arch yn wag.'

'Fel be?'

Crychodd talcen Hywel wrth iddo feddwl am resymau eraill, yn benderfynol o geisio codi calon Paul. 'Fe allen nhw fod wedi rhoi corff y boi i'r naill ochr ar ôl i'r sarcoffagws agor y tro cynta ac wedyn wedi anghofio ei roi e'n ôl mewn.'

'Ie, reit,' meddai Paul yn swta. 'Fe welest ti'r boi Fitzwalter 'na. A'th e'n boncyrs. Nyts. Dwi'm yn credu, Hyw.' Gan roi ochenaid uchel, estynnodd Paul am ei fag Adidas wrth glywed y gloch gynta'n canu. 'C'mon, well i ni fynd i gofrestru. Sa' i'n moyn meddwl am y peth am nawr.'

Dechreuodd y ddau gerdded gyda'r disgyblion eraill tua'r brif fynedfa. Edrychodd Paul yn bryderus dros ei ysgwydd i gyfeiriad gatiau'r ysgol, heb fod yn rhy siŵr beth roedd yn disgwyl ei weld yno. Doedd neb yno erbyn hyn, a phawb wedi hen adael am eu gwaith neu eu cartrefi ar ôl gadael eu plant wrth yr ysgol. Trodd yn ôl gan fynd i'r un cyfeiriad â'r disgyblion eraill unwaith eto.

Cyn teimlo bod rhywun yn ei wylio.

Trodd ar ei sawdl ac edrych i gyfeiriad y gatiau unwaith eto.

Safai un dyn yno, yn gwisgo cot hir, ddu a chantel het lydan yn cuddio'i wyneb. Chwifiai ymylon ei got yn yr awel fain. Edrychai'r dyn yn syth at Paul.

Teimlodd Paul bwniad ysgafn ar ei fraich a throdd tuag at Hywel wrth ei ochr. 'Paul, beth sy'n bod?' gofynnodd ei ffrind.

'Edrych,' meddai Paul yn gryg. 'Wrth y gatiau.'

Edrychodd y ddau tua'r gatiau. Doedd neb yno. Teimlai Paul ei galon yn curo'n galed yn ei wddf.

'Yffach, Paul, paid mynd yn wîyrd arna i, plîs,' meddai Hywel gan dywys ei ffrind at fynedfa'r ysgol. Gadawodd Paul i Hywel ei arwain i'w ddosbarth, yn rhy grynedig i ddweud na gwneud dim arall. 'Jest cadw dy ben, fe weithiwn ni mas beth i'w wneud,' ychwanegodd Hywel, gan daflu cipolwg bryderus ar ei gyfaill.

Aeth dwy wers gynta'r dydd heibio'n gyflym. Doedd gan y plant fawr o ddiddordeb mewn dysgu dim gyda digwyddiadau'r diwrnodau blaenorol yn fyw yn eu dychymyg o hyd. Wrth wynebu'r fath ddiffyg diddordeb unfryd yn y gwersi, roedd yr athrawon lawn mor hapus â'r disgyblion i glywed cloch yr egwyl am un ar ddeg.

Allai Paul ddim cofio clywed gair a ddywedodd unrhyw athro drwy'r bore. Ni fedrai feddwl am ddim ond y dyn yn yr het a'r got ddu wrth y gatiau. Roedd gweld hwnnw wedi codi mwy o ofn arno na gweld corff Xatlacan yn y sarcoffagws.

'So, Paul, beth ti'n feddwl?' Ceisiai Hywel

gadw'i lais yn ysgafn. Drwy'r bore roedd e wedi poeni mwy a mwy am yr olwg oedd ar wyneb Paul. Gwyddai na ddylai ychwanegu at ofnau ei ffrind. Eisteddodd wrth ymyl Paul ar y wal isel ar gyrion y maes chwarae a chynnig creision iddo. 'Ti'n moyn un?'

'Ocê.' Cymerodd Paul gwpl o'r creision. 'Diolch.' Bwytaodd heb fwynhau'r blas o gwbl, er mai ei ffefrynnau oedden nhw. 'Hywel, ma' ofon arna i.'

'Dwi'n gwbod, Paul. Alla i weld 'ny.' Gorffennodd Hywel weddill y paced. 'Dwi'n eitha ffrîcd hefyd, ti'n gwbod.' Oedodd, gan chwarae â'r paced yn ddifeddwl. 'Beth welest ti wrth y gatie?'

'Dyn mewn cot a het dywyll,' meddai Paul yn ddiemosiwn.

'Pwy o'dd e, ti'n meddwl?' gofynnodd Hywel, heb wybod i sicrwydd a oedd e eisiau clywed yr ateb.

'Dwi'm yn gwbod. Xatlacan, falle.'

'Ond beth fydde fe'n moyn 'da *ti*, Paul, 'chan?' meddai Hywel yn daer. 'Ma'r boi wedi marw ers tair mil o flynyddoedd—' Oedodd wrth weld ciledrychiad Paul tuag ato. 'Ocê, ocê, marw, cysgu, beth bynnag. Ti'n ei weld e—a beth? Pam fydde fe'n dod ar d'ôl di yn y lle cynta?'

Gwyliodd Paul ddyrnaid o ddisgyblion hŷn yn rhedeg heibio gan sgrechian a gweiddi. 'Dwi'm yn gwbod,' meddai, wedi iddyn nhw basio.

'Falle . . .' Pallodd ei eiriau ac edrychodd i lawr ar ei ewinedd yn ddiobaith. 'Dwi'n siŵr ei fod e ar fy ôl i, Hyw.'

'Ond pam, Paul? A chymryd ei fod e o amgylch, pam . . .'

'Ti'm yn 'y nghredu i, nag wyt ti?' gofynnodd Paul ar ei draws. 'Wa'th beth wedest ti yn yr ysbyty, dwyt ti ddim.'

Daeth golwg dosturiol i wyneb Hywel. 'Wel, ydw a nagw, Paul. Os wyt ti'n credu . . .'

'Dy fod ti'n boncyrs!' gwaeddodd llais arall o'r tu ôl i'r ddau. Suddodd calon Paul. Martin Evans. Doedd Martin ddim wedi derbyn fawr o niwed pan fwriodd caead y sarcoffagws yn ei erbyn. Dim digon i'w gadw rhag dal i blagio gweddill Blwyddyn Wyth, gwaetha'r modd, meddyliodd Paul.

Edrychodd y ddau dros eu hysgwyddau ar Martin. 'Jest gad fi i fod, Martin,' meddai Paul yn flinedig. 'Cer i fod yn niwsans rywle arall.'

Safai Martin a'i ddwylo wedi eu plethu o'i flaen. Chwythai ei wallt golau'n fwndel blêr am ei ben ac, fel arfer, roedd mwd a baw o'r maes pêl-droed yn britho'i wisg ysgol. 'Beth sy'n bod, Paul?' meddai'n herfeiddiol. 'Ti'n edrych fel 'set ti wedi gweld ysbryd.' Chwarddodd yn groch am ben ei jôc ei hun.

Camodd Paul dros y wal tuag at Martin, er mawr syndod i Hywel. 'Gwranda, Martin. Ti wedi dewis y diwrnod rong i fynd ar 'y nerfau i. Wir yr.' Sgrialodd Hywel dros y wal at ochr ei ffrind. Doedd hyn ddim yn swnio fel Paul o gwbl.

Dadblethodd Martin ei ddwylo. 'Neu beth, Gruffudd?' meddai'n filain. 'Wyt ti'n mynd i stopio fi?'

'Paul, 'chan, gad e,' sibrydodd Hywel. Efallai nad oedd llawer ym mhen Martin, ond roedd yna ochr faleisus iddo weithiau a doedd e ddim yn ofni rhoi cosfa i ddisgybl arall bob yn hyn a hyn. Er gwaetha'i gorff main, roedd Martin yn dipyn o ymladdwr. Fyddai Hywel ddim yn rhoi llawer o siawns i Paul mewn ffeit gydag e beth bynnag, a heddiw o bob diwrnod . . . Ond doedd Paul yn amlwg yn malio dim am hyn.

'Ydw,' meddai Paul, ei lais yn fflat a phenderfynol. 'Os na wnei di 'ngadel i i fod, fe stopia i ti, Martin.'

Heb oedi, camodd Martin tuag ato â'i ddwrn yn hwylio at ben Paul ond ni laniodd y ddyrnod. Yr eiliad nesa roedd Martin yn gorwedd ar wastad ei gefn a llond ei lygaid o ofn.

'Gruffudd, fe ga i ti am hyn,' meddai'n ddagreuol. ''Sneb yn 'y mwrw i. Neb, ti'n deall?' Ymbalfalodd i'w draed a cherdded i ffwrdd. Gwyliodd Paul y bwli'n cilio. Syllai Hywel yn hurt ar ei ffrind, heb allu deall yn iawn beth oedd wedi digwydd.

Doedd Paul ddim wedi bwrw Martin. Doedd e ddim wedi'i gyffwrdd o gwbl!

Y PRAWF MATHEMATEG

Yn ystod y munudau nesaf, chwaraeodd Hywel yr olygfa drosodd a throsodd yn ei ben. Gallai weld y cyfan yn glir: Martin yn camu'n hy' tuag at Paul, ei ddwrn yn anelu'n union am drwyn Paul, yna Martin yn symud am yn ôl fel pe bai rhyw law enfawr, anweledig wedi ei hyrddio i'r llawr. Waeth pa mor aml y ceisiai Hywel feddwl am y peth, ni fedrai yn ei fyw gofio Paul yn codi na llaw na bys yn erbyn Martin.

Ond gwyddai Hywel mai Paul oedd wedi hyrddio Martin i'r llawr, serch hynny. Fedrai e ddim profi'r peth o gwbl, ond rhywsut, rhywfodd, roedd yn hollol sicr o'r ffaith. Ac roedd sylweddoli hynny'n gyrru iasau oer drwyddo.

Wedi gwylio Martin yn cilio a syllu'n ddi-weld ar hyd yr iard am rai munudau, ymysgydwodd Paul drwyddo cyn troi ar ei sawdl a chamu'n ôl i eistedd ar y wal isel unwaith eto. Taflodd gipolwg ar ei wats cyn syllu'n dawel ar adeiladau'r ysgol, a chnoi ei wefus isaf yn feddylgar. Yn ofalus, eisteddodd Hywel wrth ei ymyl a syllu i'r un cyfeiriad. Temlai'n rhy nerfus am y tro i edrych ar ei gyfaill.

'Paul, ti'n gwybod beth ddigwyddodd fan'na?' gofynnodd Hywel yn betrusgar.

'Ydw,' atebodd Paul ar unwaith. 'Tithe hefyd.'

'Wel, dwi'm mor siŵr . . .'

Edrychodd Paul yn ddiamynedd ar ei ffrind. 'Paid â dweud celwydd, Hyw. Ti'n gwybod yn iawn. Ti jyst ddim ishe cyfadde'r peth achos fe fydde fe'n golygu *fod* rhywbeth od yn mynd mla'n a dwyt ti ddim yn gallu dygymod â 'ny.'

Cochodd Hywel at ei glustiau er gwaetha'r cryndod a redai drwyddo wrth wrando ar Paul. Roedd hi fel pe bai Paul wedi darllen ei feddyliau fesul gair. Cododd ar ei union. 'Dwi'n mynd 'nôl mewn. Bydd y gloch yn canu mewn munud 'ta p'un 'ny. Ti'n dod, Paul?'

Ysgydwodd Paul ei ben. 'Nadw, wela i di yn y wers.'

Gyda theimlad o dristwch llethol yn gafael ynddo, gwyliodd Paul ei ffrind yn cerdded tuag at adeiladau'r ysgol. Roedd rhywbeth wedi newid. Roedd rhywbeth o'i le. *Rhywbeth nad oedd yn perthyn yno.* Dyna'r teimlad oedd wedi dychwelyd ato heddiw, y teimlad fod rhywbeth—rhywun—arall yn ei ben, yn rhannu'i feddyliau. Ac roedd yr hyn a ddigwyddodd lai na deng munud yn ôl yn cadarnhau hynny.

Ac yn awr, ar yr union adeg y byddai wedi gwerthfawrogi cefnogaeth ei ffrind gorau, teimlai

Paul nad oedd Hywel yn gallu ymdopi â phopeth oedd yn digwydd. Yn y gorffennol, roedd Paul yn siŵr fod Hywel yn eitha tebyg iddo yntau, ond yn awr . . . Yn awr, teimlai Paul fod yn rhaid iddo wynebu—wynebu beth? Wynebu Xataclan, wynebu unrhyw ddigwyddiadau rhyfedd eraill—yn gyfan gwbl ar ei ben ei hun.

Canodd y gloch. Cododd Paul a cherdded yn araf i'w wers fathemateg.

'O syyyyyr!'

'Tawelwch, plîs, Blwyddyn Wyth,' meddai Mr Williams, yr athro mathemateg. 'Fe ddwedes i wrthoch chi yr wythnos diwetha y bydde 'na brawf bore 'ma.'

'Ond, syr,' meddai un o'r disgyblion yng nghefn y dosbarth, 'dy'n ni ddim wedi gallu meddwl am maths gyda phopeth sy wedi digwydd.'

Chwarddodd Mr Williams yn ysgafn. 'Nid 'y mhroblem i yw hynny, mae arna i ofn, Blwyddyn Wyth. Fedra i ddim rheoli digwyddiadau y tu allan i'r dosbarth hwn. Nawr, bagiau ar y llawr, dwi ddim am weld *dim byd* ond beiros, pensiliau a chyfrifianellau ar eich desgiau. Dewch, glou, bwriwch ati.'

Wrth i'w hathro ddechrau dosbarthu'r papurau prawf edrychodd Paul a Hywel yn syn ar ei gilydd.

'Oeddet ti'n cofio am y prawf 'ma?' gofynnodd Paul.

'Ddim tan tua dwy funud yn ôl,' atebodd Hywel yn bwdlyd. 'Bydd Dad yn ca'l ffit os metha i brawf arall. Dwi'n dèd. Betia i mai jiómetri yw e 'fyd, 'y mhwnc gwaetha i.'

Ochneidiodd Paul. 'Falle na fydd e mor galed â 'ny,' meddai Paul. Ailystyriodd wrth weld yr olwg ar wyneb Hywel. 'Ocê, falle bydd e.' Teimlodd ei galon yn suddo wrth i gopi o'r papur prawf lanio ar ei ddesg. 'O, gòd, ti'n iawn, jiómetri. Y'n ni'n dèd!'

'Reit, pawb yn dawel,' meddai Mr Williams, wrth gyrraedd pen blaen y dosbarth unwaith eto. 'Dwi ddim am glywed unrhyw siarad. Mae 'da chi ugain munud. Dechreuwch.'

A'i galon wedi suddo'n is fyth a digwyddiadau'r diwrnod wedi cilio o'i ben am y tro, edrychodd Paul ar ei bapur prawf. Doedd yntau, fel Hywel, ddim yn or-hoff o geometreg. Ond er nad oedd wedi methu prawf o'r blaen doedd e rioed wedi llwyddo i gael fawr mwy na rhyw hanner cant y cant o'r marciau. Cododd ei feiro a darllen y cwestiwn cyntaf. Ciledrychodd ar Hywel, gan wylio talcen ei ffrind yn crychu wrth iddo ymgodymu â'r dasg o'i flaen.

Edrychodd yn ôl ar ei bapur ei hun. Syllodd yn syn ar y papur am rai eiliadau. Roedd rhywun wedi ysgrifennu rhywbeth dan y cwestiwn cyntaf. Darllenodd am eiliad neu ddwy ymhellach. Ateb i'r cwestiwn oedd yno. Roedd yr ateb yn *ymddangos* yn gywir—ond pwy a'i hysgrifennodd? Mae'n rhaid ei fod wedi cael y ddalen atebion trwy gamgymeriad, meddyliodd. Ac yntau ar fin tynnu sylw Mr Williams, oedodd yn sydyn. Roedd rhywbeth ynglŷn ag ysgrifen yr ateb yn ei brocio.

Dychrynodd wrth sylweddoli ei fod yn darllen ei ysgrifen ei hun.

Cymerodd funud neu ddwy i Paul ddod ato'i hun. Edrychodd o'i amgylch yn slei. Roedd pawb wrthi'n ysgrifennu'n ddiwyd ac yn canolbwyntio ar eu papurau eu hunain. Gan deimlo'n anghyfforddus o gynnes, mentrodd Paul ddarllen ei bapur prawf eto. Roedd pob cwestiwn wedi ei ateb a phob ateb wedi ei ysgrifennu'n daclus yn ei ysgrifen ei hun. Ond sut?

'O'r gorau, gorffennwch ysgrifennu a rhowch eich beiros i lawr.' Torrodd llais yr athro'n drwsgl ar draws ei synfyfyrio. Teimlai Paul yn benysgafn yn sydyn. Oedd ugain munud eisoes wedi pasio? Gwyliodd Mr Williams yn casglu ei bapur oddi ar y ddesg o'i flaen. Ceisiodd ddeall beth oedd yn digwydd, gan ymladd y teimlad o bryder ac ofn oedd yn dechrau corddi yn ei stumog. Pwy oedd wedi ysgrifennu'r atebion ar y papur? Os mai ef ei hunan a wnaeth hynny, pwy oedd yn rheoli ei law? Roedd yr ateb amlwg yn ei ddychryn.

Rhywbeth nad oedd yn perthyn yno.

'Paul!'

'Y?' Sylweddolodd Paul fod Hywel yn siarad ag e. 'Sori, Hyw, beth wedest ti?'

'Ro'dd e'n gythrel o brawf, dyna wedes i,' meddai Hywel yn ddiamynedd.

'Oedd, sbo,' meddai Paul yn syn.

'Doedd e ddim yn edrych fel'na i ti, 'ta beth,' meddai Hywel yn swta. 'Roeddet ti'n sgrifennu fel pe bai fory ddim yn bod, fflat owt! Ti wedi bod yn swoto heb ddweud wrtha i?'

'Sgrifennu wedest ti? O'n i?'

Canodd y gloch a dechreuodd Hywel gasglu ei bethau at ei gilydd. 'Onest tw gòd, dwi'n gobeithio dy fod ti'n mynd i sorto dy hunan mas yn fuan, Paul. Mae e fel bod gyda *zombie*.' Gyda hynny, trodd Hywel ar ei sawdl a gadael yr ystafell ddosbarth. Cymenodd Paul ei ddesg a chodi i ddilyn Hywel. Dyna ni, felly: fyddai Hywel ddim yn ei helpu mwyach. Byddai'n rhaid iddo ddatrys ei broblemau ar ei ben ei hun.

Brysiodd Paul i'r wers nesaf; roedd y coridor yn wag a gweddill y disgyblion wedi cyrraedd yno eisoes. Yna, clywodd y llais yn glir.

'Dwyt ti ddim ar dy ben dy hun. Rydw i yma.'

Sgrechiodd Paul nerth ei ben.

Y TELEDU

'Dwi'n iawn, wir,' meddai Paul yn ddiamynedd. 'Jest . . .'

'Jest beth, Paul?' gofynnodd ei dad yn ei ffordd dawel arferol, ond roedd tinc diamynedd yn ei lais yntau erbyn hyn. 'Dwi ddim yn credu *fod* popeth yn iawn. Dwi'n gwbod fod profion maths yn gas ond dy'n nhw ddim cynddrwg â hynny.' Chwarddodd yn ddihiwmor.

Roedd Mr Gruffudd wedi bod yn poeni am Paul yn barod, a hynny cyn i'r ysgol ei ffonio awr ynghynt i ddweud fod Paul wedi cael ei glywed yn sgrechian yn un o goridorau'r ysgol. Fe adawodd Mr Gruffudd ei gyfarfod busnes ar unwaith a brysio i'r ysgol i gasglu Paul o ystafell y Prifathro. Roedd hwnnw'n poeni fod y digwyddiad yn yr amgueddfa wedi effeithio ar Paul lawer mwy nag yr oedd unrhyw un wedi ei amau hyd yn hyn. Gyda hynny'n flaenllaw ar ei feddwl, dywedodd wrth Mr Gruffudd y gallai Paul aros gartre am rai dyddiau 'nes i effeithiau'r sioc gilio'.

'Wyt ti'n siŵr fod beth welest ti ddim yn dy

boeni di o hyd, Paul?' gofynnodd ei dad ar ôl eiliad neu ddwy arall. 'Dwed wrtha i. Dere, cyn i dy fam ddod gartre. Ti'n gwbod shwt ma' *hi*'n poeni am bopeth. Beth welest ti yn yr amgueddfa 'na?'

'Dim, a dyw e ddim yn 'y mhoeni i, Dad,' meddai Paul. Sut allai e esbonio ei fod yn clywed llais yn ei ben? Sut allai e esbonio ei fod wedi gweld dyn marw'n agor ei lygaid? Ei fod wedi bod mewn ogofâu hynafol a jyngl trofannol yn ystod y pedair awr ar hugain ddiwethaf? Byddai'r dynion yn y cotiau gwynion yn cyrraedd cyn iddo orffen ei frawddeg gyntaf!

Gwyddai'n iawn fod yn rhaid iddo wynebu hyn ar ei ben ei hun a fedrai e byth feddwl yn glir petai ei rieni'n ffysan o'i amgylch drwy'r amser. Ar y llaw arall, pe bai'n dweud rhywbeth i'w plesio, efallai y câi lonydd i geisio datrys y broblem.

'Wel, falle'i fod e'n 'y mhoeni i damed bach,' meddai'n dawelach. Eisteddodd yn ôl ar y soffa. Rhoddodd ochenaid uchel, er mwyn rhoi amser iddo'i hun feddwl yn fwy na dim. 'Falle es i'n ôl i'r ysgol yn rhy gynnar,' meddai. 'Falle bod angen i fi jest gael tipyn o amser i fi'n hun i ddod dros y peth.'

Edrychodd ei dad yn amheus arno am funud, gan wneud i Paul deimlo'n nerfus. Oedd e'n credu'r stori? Gobeithio na fyddai'n gofyn rhagor o gwestiynau. Doedd gan Paul 'run syniad beth oedd yn digwydd beth bynnag, heb sôn am orfod gweithio'n galed i greu stori fydde'n plesio ei rieni.

'Wel, 'na'r peth calla i fi dy glywed ti'n ddweud ers cwpwl o ddiwrnode,' meddai ei dad, a'r amheuaeth yn ei lais yn newid yn rhyddhad. Llaciodd ei dei a thynnu ei siaced oddi amdano. 'Rho'r teledu 'mlaen ac fe wna i baned.'

Diflannodd ei dad i'r gegin ac estynnodd Paul am y teclyn bychan i droi'r teledu ymlaen. Gwrandawodd ar y lleisiau ar y teledu wrth i'r llun gymryd amser i ymddangos. Ymhen eiliad neu ddwy doedd y llun ddim wedi ymddangos eto ond roedd Paul yn clywed y lleisiau o hyd. Gwasgodd y botwm cywir ar y teclyn. Dim byd. Edrychodd Paul am y golau coch bychan dan y sgrin, y golau a ddangosai fod y teledu wedi ei droi ymlaen.

Doedd y golau bychan ddim wedi'i oleuo. A doedd y plwg trydan ddim yn y wal chwaith.

Oerodd Paul drwyddo wrth iddo sylweddoli fod y llais yn dod o uchelseinydd y teledu. Ymladdodd i'w atal ei hun rhag sgrechen y tro hwn, a'r ymdrech yn torri'n chwys ar ei dalcen.

'Rydw i yma,' meddai'r llais eto. 'Helpa fi.'

Taflodd Paul gipolwg nerfus dros ei ysgwydd. Gallai glywed mygiau te yn clincian yn y gegin, a'i dad yn hymian un o ganeuon y *Spice Girls* yn dawel iddo'i hun wrth baratoi'r te. Unrhyw bryd arall, byddai Paul wedi chwerthin o glywed y fath beth, ond ni fedrai ddweud dim yn awr, gyda sgrech yn gwingo'n lwmp caled yn ei wddf.

Llwyddodd i lyncu'r sgrech a throdd yn ôl tua'r teledu. Y tro hwn, clywodd y llais yn dod yn eglur o'r seinydd.

'Helpa fi.'

'P . . . pwy wyt ti?' gofynnodd Paul yn betrusgar, a phrin yn gallu rheoli ei dafod. Symudodd yn agosach at y teledu a phenlinio o flaen y sgrin. Gallai weld adlewyrchiad ei wyneb yn y gwydr tywyll. Edrychai'n welw. Trodd i ffwrdd ac astudio'r wifren drydan eto, i gadarnhau iddo'i hun nad oedd y sèt wedi ei phlygio i'r soced yn y wal. Roedd y plwg yn dal i orwedd ar y llawr.

'HELPA FI!'

Neidiodd Paul o'i groen. Roedd y llais yn uwch, ond â nodyn o bryder, nid dicter, ynddo.

'Sut?' gofynnodd Paul, gan ymladd i atal y cryndod oedd yn dechrau gafael yn ei gorff. 'Sut? Pwy wyt ti? Ble wyt ti?'

Ar hynny, canodd cloch y drws. Rhewodd Paul yn ei unfan. Yn sydyn, roedd Paul yn ymwybodol o synau'r gegin. Clywodd ei dad yn rhoi'r tegell i lawr cyn galw.

'Paid â phoeni, Paul, fe wna i ei ateb e.'

Gwrandawodd Paul ar sŵn traed ei dad yn cerdded i lawr y cyntedd . . . dolen y drws yn troi . . . a'r wich arferol wrth i'r drws agor. Llais ei dad, yna llais arall, dieithr . . . na, doedd y llais ddim yn un dieithr o gwbl.

'Bob, shwt wyt ti, gw'boi?'

Adnabu Paul y llais ar unwaith—ei Wncwl Sam! Doedd Sam ddim wedi ymweld ers oes, ers iddo fynd i weithio yn y Dwyrain Canol dros flwyddyn yn ôl fel peiriannydd i gwmni olew mawr. Yn ddirybudd, cerddodd ei dad i mewn i'r ystafell fyw.

'Wel am syndod, Paul,' meddai'i dad yn llon. 'Ymweliad annisgwyl gan Sam! Y person ola o'wn i'n ei ddishgwl!'

'Sam?' gofynnodd Paul yn syn, ei feddwl ar chwâl am eiliad, wrth feddwl am y llais o'r teledu funud ynghynt.

'Sam, fy mrawd,' atebodd ei dad yn chwareus. 'Dy *Wncwl* Sam, y lembo.' Twt-twtiodd ei dad a throi i gyfeiriad y cyntedd. 'O, dwi'm yn gwbod, 'sdim gobeth i ti, Paul. Sam, 'chan, dere i mewn.'

Camodd Wncwl Sam i mewn i'r ystafell fyw. Ar amrantiad, teimlai Paul fod ei holl fyd yn chwalu o'i amgylch.

Am y trydydd tro mewn wythnos, syllodd i fyw llygaid Xatlacan.

10

WNCWL SAM

'Jiw, Sam, doedd gen i ddim syniad dy fod ti yn yr ardal. Fe ddylet ti fod wedi ffonio.' Lledodd gwên Bob Gruffudd. 'Amseru da hefyd. Fe elli di godi calon y bachgen 'ma. Mae e wedi cael tipyn o wythnos. Paul, dwed wrtho fe beth sy wedi digwydd ac fe wna inne baned ffres i ni. Jiw jiw. Tawn i'n smecs, fel wede'r boi 'na . . .'

Gwyliodd Paul yn ddiymadferth wrth i'w dad fynd i'r gegin. Beth oedd o'i le arno? Pam na fedrai weld nad Sam ond Xatlacan oedd yno o flaen ei lygaid? Heb godi oddi ar ei liniau o flaen y teledu astudiodd y dewin hynafol yn dawel wrth i hwnnw eistedd yn bwyllog ar y soffa o'i flaen.

Gwisgai Xatlacan ddillad modern—siaced ysgafn dros grys-T a jîns—ond edrychai'r rheiny'n ddieithr arno, o ystyried ei groen tenau, brau. Roedd gan y dewin lygaid duon, dyfnion islaw aeliau gwyn trwchus, ei wyneb tenau'n arwain at bwynt o farf ar ei ên. Hongiai ei wallt gwyn yn gynffon hir i lawr ei gefn. Sylwodd Paul ar yr holl fanylion hyn mewn ennyd fer, ond yr hyn a hawliai ei sylw oedd llygaid Xatlacan. Yn dywyll ac yn oeraidd, roedd llygaid y dewin fel pe baen nhw'n edrych yn syth drwy Paul.

Yn araf, cododd Paul ar ei draed. Amneidiodd Xatlacan at y gadair esmwyth wag gyfagos. Eisteddodd Paul a'i galon yn curo'n boenus o galed yn ei frest, heb dynnu ei sylw oddi ar y dewin am eiliad. Roedd ei geg yn sych grimp. Gwyddai Paul fod y drws i'r cyntedd lai na chwe throedfedd i ffwrdd, ond gwyddai hefyd y gallai'r dewin afael ynddo cyn iddo gyrraedd drws y tŷ. Doedd ganddo'r un gobaith i basio'r dewin a chyrraedd y gegin.

'Does dim angen i ti redeg i ffwrdd,' meddai Xatlacan. Saethodd ias danbaid drwy Paul wrth i lais y dewin drawsnewid i'r llais a glywodd yn yr ysgol—ac o'r teledu. Tybiai Paul yn awr iddo glywed arlliw o acen Sbaeneg yn y llais hefyd. 'Ac rwyt ti'n iawn, fyddet ti ddim yn gallu 'mhasio i 'tait ti'n trio, Paul.'

'Sut . . .' dechreuodd Paul yn floesg. Ymdrechodd i gael rhywfaint o boer yn ei geg i ryddhau ei dafod sych.

'Sut o'wn i'n gwybod beth oeddet ti'n feddwl?' gofynnodd Xatlacan gan godi un ael drwchus. 'Neu sut mae dy dad yn meddwl mai "Wncwl Sam" ydw i? Neu sut wnes i dy ffeindio di? Sut mae dyn fu farw filoedd o flynyddoedd yn ôl yn eistedd yma'n siarad â ti? Beth am y teledu? Yr ogof? Mae 'na gymaint o gwestiynau'n corddi yn dy ben di, Paul Gruffudd.'

Dychrynodd Paul drwyddo wrth i ddagrau ddechrau cronni yn ei lygaid. Beth oedd Xatlacan yn mynd i'w wneud iddo? A fedrai'r dewin ddarllen ei feddyliau, neu a oedd Xatlacan ond yn darllen y teimladau oedd yn siŵr o fod yn amlwg ar draws ei wyneb?

Gwenodd Xatlacan. Tybiodd Paul iddo allu gweld llygedyn o gynhesrwydd yn y wên, ond ni fedrai fod yn sicr. 'Gwell i fi esbonio beth sy'n digwydd,' meddai'r dewin. 'A does dim angen i ti boeni, dwi ddim yma i dy niweidio di mewn unrhyw ffordd. Dwi yma i ofyn am dy help. Fe geisiais i dy rybuddio di funud neu ddwy'n ôl ond . . .'

'Fy help?' gofynnodd Paul. 'Dwi'm yn deall.'

Gwenodd y dewin unwaith eto a'r cynhesrwydd yn y wên yn amlycach y tro hwn. Ymlaciodd Paul ryw fymryn, ond ni fedrai ymddiried yn llwyr ynddo eto. A beth oedd ei dad yn ei wneud?

'Mae dy dad yn iawn,' meddai Xatlacan, gan eistedd yn ôl. Estynnodd am declyn rheoli bychan y teledu. Clywodd Paul sŵn rhywbeth yn llithro ar draws y carped a throdd mewn pryd i weld y plwg yn symud tua'r soced ar y wal. Agorodd ei lygaid led y pen wrth wylio'r plwg yn codi ac yn ei ffitio'i hun i'r tyllau cywir. Trodd y dewin y teledu ymlaen gan symud drwy'r sianeli'n gyflym. Oedodd ar MTV am funud, gan astudio'r band oedd yn chwarae ar y pryd. Diffoddodd y teledu'n ddisymwth.

'Rwyt ti'n byw mewn oes ddiddorol dros ben, Paul Gruffudd. Cymaint o wybodaeth, cymaint o luniau lliwgar a seiniau aflafar. Rhyfeddol.' Taflodd y teclyn yn ddi-hid i'r naill ochr.

'Rwyt ti wedi dyfalu'n iawn. Mae dy dad wedi cael ei swyno i feddwl mai dy Wncwl Sam ydw i. Wncwl Sam mae'n ei weld wrth edrych arna i, Wncwl Sam mae'n ei glywed. Ac fe fydd e yn y gegin nes i fi dorri swyn arall dwi wedi ei fwrw arno fe.' Craffodd Xatlacan ar wyneb gwelw Paul. 'Ie, Paul, *swyn*. Gyda'ch gwyddoniaeth a'ch rhesymeg a'ch mathemateg ry'ch chi wedi anghofio beth all dyn ei wneud â phwerau eraill . . . Ta waeth, nid dyma'r amser i fanylu. Mae gen ti ddigon i feddwl amdano am y tro. Mae gen ti rywbeth sy'n perthyn i fi, Paul.' Treiddiodd y llygaid tywyll i fêr esgyrn Paul. 'Rhywbeth gwerthfawr dros ben. Mae'n rhaid i fi ei gael yn ôl ond fedra i ddim gwneud hynny heb dy help di.'

Roedd pen Paul yn dechrau troi. 'Dwi ddim yn deall. Gòd, ma' hyn yn boncyrs.'

Ochneidiodd y dewin. 'Dwi'n siŵr ei fod e'n "boncyrs".' Gwenodd wrth ddefnyddio'r gair estron. 'Ond mae'n teimlo'n eitha "boncyrs" i fi hefyd, Paul.'

''Sgen i ddim byd sy'n perthyn i chi,' meddai Paul, gyda theimlad o hyfdra annisgwyl. Am y tro cyntaf y prynhawn hwnnw, dyma rywbeth y gallai deimlo'n sicr ohono. Doedd e ddim yn siŵr beth oedd wedi digwydd i'w dad a cheisiai anghofio'r ffaith fod y dyn gyferbyn ag ef dros dair mil o flynyddoedd oed, ond roedd e'n sicr nad oedd ganddo unrhyw beth oedd yn perthyn i'r dewin hynafol.

Chwalodd geiriau nesa'r dewin drwy ei sicrwydd. 'Oes, mae arna i ofn, Paul. Mae gen ti damaid o fy enaid i.'

Syllodd Paul yn swrth ar Xatlacan a'i fyd yn dechrau ymddatod unwaith eto. Clywai ei dad yn symud yn ddibwrpas o amgylch y gegin, yn hymian yr un gân bop iddo'i hun unwaith eto, yn berwi ac yn ailferwi'r tegell cyn ei ail-lenwi o'r tap.

'Enaid?' Prin y gallai Paul ynganu'r gair gan mor sych oedd ei geg.

'Rhan o fy ysbryd i,' meddai Xatlacan yn addfwyn. Ochneidiodd, yn uwch ac yn hirach y tro hwn. 'Mae'n siŵr dy fod ti wedi darganfod fod gen ti alluoedd newydd yn ddiweddar. A . . . dwi'n gweld o dy ymateb di fod rhyw bethau wedi digwydd i ti.'

Rhwbiodd y dewin ei wyneb mor galed fel yr amheuai Paul y byddai'r croen papur yn rhwygo. 'Ar ôl i'r sarcoffagws agor, fe gest di dy anfon i'r Lle Tywyll, on'd do fe? Yr ogofâu.' Ochneidiodd am y trydydd tro, a Paul yn tybio iddo glywed blinder miloedd o flynyddoedd yn yr ochenaid. 'Gwell i fi esbonio popeth o'r cychwyn cynta. Ac i wneud hynny, bydd hi'n haws os awn ni'n ôl.'

'Yn ôl?' gofynnodd Paul, gan ofni ei fod yn dechrau swnio fel parot.

Culhaodd llygaid Xatlacan. 'Yn ôl dair mil o flynyddoedd, Paul Gruffudd. I ti gael clywed fy ochr i o'r stori, nid y sothach ddarllenest ti yn yr amgueddfa.

'Ie, yn ôl. I brifddinas teyrnas y Manataya. Ac i'r Lle Tywyll.'

11

CYSGODION Y GORFFENNOL

Symudodd yr un o'r ddau am rai munudau. Ceisiai Paul ddygymod â'r sefyllfa. Roedd dyn tair mil o flynyddoedd oed yn eistedd o'i flaen, dyn a ddylai, mewn byd normal, rhesymegol, fod yn farw. Roedd yr un dyn hwnnw'n ddewin o wareiddiad anghofiedig. Fel pe na bai hynny'n ddigon, roedd yn honni fod rhan o'i enaid yn awr yn rhan o Paul. A phinacl y ffantasi wirion oedd y cyfraniad diweddaraf, sef y byddai'n rhaid i'r ddau ohonyn nhw fynd yn ôl mewn amser i ddatrys y broblem.

'Y Lle Tywyll? Beth yffach yw hwnna?' gofynnodd Paul.

'Rhywle lle . . .' Oedodd Xatlacan. 'Dwi'n sylweddoli fod hyn yn galed i'w ddeall, efallai,' dechreuodd, ond yna tawelodd yn ddisymwth. Cododd Paul ei ben i wrando ar y dewin. Clywodd ei dad yn canu'n ddi-hid yn y gegin.

'Fedrwch chi wneud rhywbeth ynglŷn â Dad?' gofynnodd Paul. 'Dwi ddim yn siŵr 'mod i'n hoffi ei weld e fel hyn.'

'Beth?' Edrychodd Xatlacan tua'r gegin. 'Mm, dwi'n gweld beth wyt ti'n feddwl. Falle y bydde'n well i ni fynd am dro, tipyn o awyr iach. Bydde hynny'n llesol, o bosib.' Cododd y dewin ei law a'i symud fymryn. Distewodd Mr Gruffudd yn ddisyfyd. Gwrandawodd Paul ar ei dad yn gwneud y te cyn dychwelyd i'r stafell fyw.

''Ma ni,' meddai Bob Gruffudd yn ysgafn. 'Paned a bisgedi.' Gosododd yr hambwrdd ar y bwrdd coffi o flaen y teledu ac eistedd wrth ymyl 'Wncwl Sam' ar y soffa. Ysgydwodd ei ben. 'Sam. Fedra i ddim credu'r peth.' Trodd at Paul. 'Paul, dwyt ti ddim yn edrych yn dda. Beth sy'n bod?'

'Dim, dwi'n . . .'

Torrodd Xatlacan ar ei draws. 'Popeth yn ormod o sioc iddo fe, dwi'n credu, Bob. Fe a' i ag e mas am dro. Tipyn o awyr iach.' Gyda'i dad ar fin protestio, sylwodd Paul ar Xatlacan yn gwneud y symudiad lleiaf â'i law a chaeodd ei dad ei geg yn glep.

'O, o'r gore,' meddai, er fod yna dinc ansicr yn ei lais. 'Mae gen i bethe i'w gwneud fan hyn cyn i Non ddod gartre.' Lledodd gwên ar draws ei wyneb eto. 'Jiw, bydd Non yn falch i dy weld ti hefyd, Sam. Hwdiwch, bob o baned i chi.'

Wrth iddo yfed ei de, gwyliodd Paul ei dad a Xatlacan yn mân siarad. Sut ar y ddaear oedd y dewin yn gwybod cymaint am y teulu? Sgwrsiai am fân bethau oedd wedi digwydd i'r ddau frawd dros y blynyddoedd yn hollol huawdl, heb oedi am eiliad. Trodd Paul i astudio'r dewin yn ofalus a chraffu'n galed ar yr wyneb crin. Er gwaetha'r chwerthin a'r gwenu rhyngddo ef a'i dad roedd yna dristwch llethol yn cuddio y tu ôl i'r llygaid tywyll, yr un hiraeth ag roedd Paul wedi ei weld yn ei gyd-ddisgyblion ar dripiau ysgol hir. Hiraeth am eu cartrefi.

'Reit 'te, Paul,' meddai Bob Gruffudd, gan ddechrau cymhennu'r mygiau a'r platiau, 'cer gyda Sam i'r parc a chei di adrodd dy holl hanes wrtho fe. Wir i ti, Sam, gredet ti byth beth sy wedi digwydd yr wythnos hon. Wela i chi cyn bo hir.'

Ar ôl gwisgo'i got, cerddodd Paul gyda Xatlacan tua'r parc cyfagos. Doedd 'na fawr neb yn y parc, gyda'r mamau a'r tadau'n anelu am yr ysgolion cynradd i gasglu eu plant. Fyddai'r plant ysgol uwchradd ddim yn dechrau ymddangos am awr arall. Cyrhaeddodd y ddau fainc wag, heb yngan gair yr holl ffordd o'r tŷ, ac eistedd arni.

'Oes f'ofn i arnat ti?' gofynnodd Xatlacan ar unwaith.

'Oes,' atebodd Paul yn dawel. 'Yr holl fusnes darllen meddylie. Fy nilyn i i'r ysgol ddoe. Sôn am y "Lle Tywyll" 'ma. Mae'r cyfan yn fy hala i'n nerfus ofnadw.'

Chwarddodd y dewin, gan wneud i'w wyneb grychu'n gannoedd o linellau main. 'Mae darllen meddyliau'n ddigon rhwydd, os wyt ti'n gwybod sut mae gwneud. Cyn i ddynoliaeth wneud hyn,' amneidiodd â'i law ar yr adeiladau ar gyrion y parc, 'roedd digon ohonon ni'n gwybod sut i wneud hynny. A nifer o bethau eraill.'

Crychodd Xatlacan ei aeliau. 'Aros funud. Beth ddwedest ti? Dy ddilyn di i'r ysgol?'

'Ie,' meddai Paul. 'Wrth gatiau'r ysgol, ddoe. Yn y got hir a'r het fawr ddu.' Anesmwythodd o wylio ymateb y dewin. Doedd bosib ei fod wedi anghofio?

'Myn y duwiau!' meddai Xatlacan yn dawel. 'Myn yr holl dduwiau a'n hannwyl Fam-dduw sanctaidd!'

Dechreuodd Paul deimlo'n annifyr o ddi-amynedd. 'Beth? Beth sy'n bod?'

'Nid fi oedd wrth y gatiau.' Ochneidiodd Xatlacan. 'Mae pethau'n fwy cymhleth nag oeddwn i'n ei amau. Aros funud, fe freuddwydiest ti am jyngl?' Trodd i edrych ar Paul, yna tua'r dref y tu hwnt i'r parc. Yn sydyn, ymddangosai Xatlacan yn hen iawn i Paul, yn hŷn nag yr ymddangosai yn ôl yn y tŷ hyd yn oed. Gwyliodd gysgodion yn gwibio ar draws wyneb y dewin. Atgofion o rywle arall, amser maith, maith yn ôl. Ceisiodd Paul ddychmygu sut y teimlai i fod yn dair mil o flynyddoedd oed.

Yn hŷn nag y gelli di fyth ddychmygu.

Neidiodd Paul o glywed llais y dewin yn ei ben. Cofiodd ar amrantiad eiriau cynharach y dewin.

'Ie, waeth i ni beidio anghofio hynny,' meddai'r dewin. 'Mae yna ran o fy ysbryd i yn gorffwys ynot ti.'

'Ond pwy oedd wrth gatiau'r ysgol?' gofynnodd Paul yn bryderuᶜ

'Y ffordd orau i fi esbonio yw dangos i ti beth ddigwyddodd. Ry'n ni wedi oedi digon. *Dwi* wedi oedi digon. Mae'n bryd i ti ddysgu'r gwir am beth ddigwyddodd i fi ym Manataya.'

Tynnodd Xatlacan ei siaced ysgafn yn dynnach amdano, er fod y diwrnod yn un lled gynnes. 'Ry'n ni'n mynd i fynd ar siwrnai hir, beryglus, Paul, ar draws miloedd o flynyddoedd a miloedd o filltiroedd.

'Fe fyddwn ni yno, yn gallu gweld a chlywed ac arogli pob dim o'n hamgylch ond fydd neb yn gallu'n gweld ni. Wel, nid *ni*. Fe fydd y bobol o'n hamgylch yn gweld rhywun cyfarwydd ond wedi i ni symud o'r golwg fydd neb yn cofio'n gweld ni. Rhywbeth tebyg i'r swyn a fwrais i ar dy dad. Ond fe fydd hi'n siwrnai beryglus, serch hynny.'

Cododd Xatlacan yn boenus o araf ar ei draed, fel pe bai pob asgwrn a chyhyr yn ei gorff yn gwynegu. Cymerodd ychydig gamau arbrofol cyn troi at Paul.

'Wyt ti'n fodlon mentro?' gofynnodd yn dawel.

Meddyliodd Paul am ei fywyd cyn gweld y sarcoffagws. Cofiodd yr ofn a'r arswyd roedd wedi ei deimlo ers y bore ofnadwy hwnnw.

Cofiodd am yr ogof, y dyn-barot, y jyngl a'r deml, y prawf mathemateg a'r ffeit gyda Martin ar y maes chwarae. Roedd yn rhaid iddo gyfaddef fod bywyd wedi cymhlethu'n ormodol yn ddiweddar.

Y dyn musgrell, amhosib o hynafol hwn, oedd ei unig obaith am gael mynd yn ôl i'w fywyd cyn i'r holl bethau hyn ddigwydd. Pe bai Xatlacan yn dymuno ei niweidio, mae'n siŵr y byddai wedi gwneud hynny sbel yn ôl. Er gwaethaf ei swynion rhyfeddol a'i ddarllen meddyliau, roedd Paul yn sicr nad ei niweidio oedd pwrpas y dewin.

Llyncodd Paul ei boer. 'Odw,' sibrydodd yn gryg. 'Dwi'n fodlon mentro.'

'O'r gorau,' meddai'r dewin, a nerth newydd yn llenwi ei lais. 'Dere, Paul Gruffudd. Mae'n bryd i ni 'madael.'

12

Y LLWYBR

Dilynodd Paul y dewin tua gatiau'r parc heb
ddweud gair pellach. Unwaith eto, ceisiodd
ddygymod â'r ffaith fod y sefyllfa'n hollol hurt.
Dyma fe, Paul Gruffudd, yn dilyn dewin—
dewin!—tair mil o flynyddoedd oed er mwyn
teithio'n ôl mewn amser i oes wreiddiol y dewin.
Wythnos yn ôl, y peth mwya cymhleth yn ei
fywyd oedd adolygu ar gyfer prawf mathemateg.
Ond, fel mae'n digwydd, fe anghofiodd am y
prawf hwnnw beth bynn . . .

Teimlodd Paul rywbeth yn crafangu ar hyd ei
gefn. Roedd y parc wedi diflannu ac yn ei le
doedd dim i'w weld ond niwl trwchus. Prin y
gallai weld ei ddwylo o flaen ei lygaid. Craffodd
yn galetach, gan deimlo rhyddhad o weld cefn
Xatlacan rai troedfeddi o'i flaen.

'Xatlacan, ble ry'n ni?' gofynnodd Paul yn
nerfus. Swniai ei lais yn rhyfedd o fflat. Doedd
'na'r un atsain o gwbl yn y lle hwn. 'Ai dyma'r
Lle Tywyll?'

'Na. Ry'n ni'n troedio Llwybr Amser,' meddai'r

dewin gan barhau i gerdded yn ei flaen yn bwrpasol, heb edrych yn ôl at Paul.

'Llwybr Amser? Beth yw hwnna? Mae'n swnio fel reid yn *Alton Towers*.'

Safodd y dewin yn ei unfan cyn rhoi ochenaid ddiamynedd. Trodd i edrych ar Paul. 'Mae Llwybr Amser . . .' dechreuodd yn swta, ond meddalodd ei wyneb yn sydyn. 'Mae'n ddrwg gen i, Paul. Mae dyn yn gallu anghofio pa mor rhyfedd yw hyn i bobol . . . normal. Os maddeui di'r term am funud.'

Taflodd Xatlacan gipolwg pryderus y tu ôl iddo, tua'r cyfeiriad lle'r oedd y ddau ohonyn nhw'n cerdded funud ynghynt. 'Mae Llwybr Amser yn rhedeg yn un llinyn di-dor o'r Cychwyn Cyntaf i'r Diwedd Olaf. Gyda'r swyn cywir fe all unrhyw un gerdded ar ei hyd, gan basio drwy flynyddoedd maith gyda phob cam. Ond mae'n holl bwysig dy fod ti'n aros ar y llwybr, Paul . . .'

Torrodd sgrech fain ar draws llais y dewin. Chwyrlïodd y niwl o gylch y ddau cyn i siâp du saethu ar draws y Llwybr a diflannu i'r niwl dudew ar yr ochr arall. Tybiodd Paul iddo weld pâr o adenydd fel lledr ar y creadur a chrafangau milain ar ben pob adain.

Teimlodd Paul chwys oer ar ei dalcen. 'Beth yffach o'dd hwnna?' gofynnodd yn grynedig.

''Sen i ddim yn gofyn, tawn i yn dy sgidiau di,'

meddai'r dewin, oedd yn craffu tua'r man lle diflannodd y creadur. 'Mae 'na lawer o bobol—a chreaduriaid—ar goll yn niwloedd amser. Y rheiny yw'r rhai gamodd oddi ar y Llwybr. Weithiau, mae'r profiad o fod ar goll mewn amser yn ormod iddyn nhw a dros y canrifoedd maen nhw'n trawsffurfio'n greaduriaid dieflig. Ac os y'n nhw'n greaduriaid i gychwyn, wel . . .' Distewodd Xatlacan heb orffen ei frawddeg.

'Ond ry'n ni'n saff, on'd y'n ni?' ymbiliodd Paul, gan ddychmygu un o'r creaduriaid yn ei larpio.

'Ydyn, paid â phoeni.' Tynnodd Xatlacan ei siaced ysgafn yn dynnach amdano. 'Dere, mae'n oeri wrth i ni symud tua'r gorffennol. Mae 'na dipyn o ffordd i fynd. Cadw o fewn hyd braich i fi.'

Doedd dim angen i'r dewin ei atgoffa, meddyliodd Paul yn nerfus. Doedd arno'r un awydd i gwympo oddi ar y llwybr nac ychwaith i droi'n bryd o fwyd i got ledr â chrafangau. Dilynodd y dewin, gan ofalu ei fod yn cadw at y stribyn solet dan ei draed, y stribyn cul rhwng y llen niwlog ar y naill ochr a'r llall iddo. Swatiodd i mewn i'w got gan wthio'i ddwylo'n ddyfnach i'w bocedi. Roedd hi *yn* oeri.

'Ble ry'n ni nawr?' gofynnodd Paul. Roedd y tawelwch afreal yn dechrau dweud arno.

'"*Pryd* y'n ni" yw'r cwestiwn cywir,' meddai'r dewin. Rhoddodd chwerthiniad bychan. 'Tua chyfnod y Rhufeiniad, dwi'n credu. Mae'n anodd dweud yn hollol gywir.'

'Anodd dweud?' gofynnodd Paul gan ddychmygu'r gladiatoriaid a'r ymerawdwyr y tu hwnt i'r niwloedd. 'O's 'na siawns na fyddwn ni'n cyrraedd y man cywir, 'te?'

'Na, dyna'r un peth y galla i fod yn sicr ohono—y man cychwyn a'r man gorffen. Rho lonydd i fi am funud, Paul, mae'n rhaid i fi ganolbwyntio.'

Rhoddodd Paul ochenaid bwdlyd. Roedd hi'n iawn iddo *fe* ddweud hynny. Doedd y peth ddim yn rhywbeth newydd iddo *fe*. Edrychodd ar yr haen niwlog wrth ei benelin, yn chwyrlïo'n ddiog. Gwyliodd y niwl yn creu siapau cyfarwydd ac anghyfarwydd. Dychmygodd iddo weld wyneb neu ddau yn y tarth—sêr ffilmiau, cyflwynwyr teledu, pêl-droedwyr.

Yn sydyn gwelodd wyneb cyfarwydd iawn. Hywel. Stopiodd a throi i edrych yn fwy gofalus. Ie, wyneb Hywel oedd yno, nid siâp wedi ei greu o'r niwl. Beth oedd wyneb Hywel yn ei wneud fan yma? Yna clywodd lais ei ffrind, fel pe bai'n dod o hirbell.

'Paul, helpa fi,' meddai wyneb Hywel yn dorcalonnus. 'Helpa fi.'

'Hyw?' Cymerodd Paul gam yn agosach at y wal niwlog o'i flaen.

'Paul, maen nhw wedi fy nghipio fi. Plîs helpa fi, plîs.'

'Pwy yw "nhw", Hyw?' Cymerodd Paul gam arall tua'r niwl cyn derbyn hergwd galed i'w ysgwydd. Trodd yn syn i weld Xatlacan yn sefyll wrth ei ymyl, ei wyneb yn fwgwd o ddicter.

'Paid!' gwaeddodd y dewin. 'Ble wyt ti'n mynd?'

Ceisiodd Paul feddwl. A welodd wyneb Hywel funud yn ôl? Beth ddigwyddodd? 'Dwi . . . dwi ddim yn gwybod,' mwmialodd yn herciog. 'Weles i wyneb ffrind a . . .'

'Welaist ti ddim byd tebyg,' meddai Xatlacan, yn fwy addfwyn y tro hwn. 'Fe ddwedes i wrthot ti. Mae 'na bob math o greaduriaid atgas yn llechu yn niwloedd Amser, yn barod i ddenu'r diofal i'w crafangau. Mae'n rhaid i ti fod yn fwy gofalus.'

'Sori,' meddai Paul yn dawel. 'Gòd, ma' hyn i gyd yn ormod i fi gôpo 'dag e.'

'Paid â chwyno, Paul Gruffudd, wneith e ddim helpu. Edrych, ry'n ni wedi cyrraedd.' Gyda gwên gellweirus, pwyntiodd y dewin at ddillad Paul ac edrychodd Paul i lawr. Neidiodd fymryn wrth sylweddoli ei fod yn gwisgo tiwnig ysgafn, yn union fel yr oedd yn ei wisgo yn yr ogof. Y tro hwn roedd yn gwisgo pâr o sandalau hefyd, tebyg i'r rhai a welodd ar lun o lengfilwr Rhufeinig unwaith. Sylwodd fod Xatlacan wedi ei wisgo'n debyg.

Anghofiodd yn llwyr am ei ddillad yn sydyn wrth i haul tanbaid ffrydio i lawr drwy'r niwl.

13

MANATAYA

Culhaodd Paul ei lygaid yn erbyn y golau llachar wrth i don ar ôl ton o wres trofannol olchi drosto. Llanwodd ei glustiau â bwrlwm dinas brysur ond roedd rhywbeth yn od am y sain. Yn araf, mentrodd agor ei lygaid fesul trwch blewyn nes ei fod yn edrych ar yr olygfa fwyaf rhyfeddol iddo ei gweld erioed.

Safai Paul a Xatlacan ar ben ffordd lydan ar gopa bryn uchel. Ymestynnai'r ffordd filltiroedd o'u blaenau, i lawr y bryn cyn diflannu i berfeddion dinas enfawr a ymestynnai am filltiroedd o bobtu'r ffordd, o gopa'r bryn i'r gwastadedd islaw. Roedd bron pob adeilad wedi ei adeiladu o friciau cochion tywyll, a'r adeiladau wedi eu rhannu'n batrwm o strydoedd taclus, cymesur, fel sgwariau papur mathemateg.

Yr unig bethau a dorrai ar draws y patrwm taclus o strydoedd oedd pedwar bryn uchel yn ymestyn gannoedd o fetrau uwch y ddinas. Arweiniai llinell hir o risiau i fyny un ochr pob bryn ac ar bob copa safai teml hirsgwar. Temlau, rhai tebyg i'r un a welsai yn ei freuddwyd, meddyliodd Paul, ond wrth edrych yn agosach sylweddolodd, er syndod iddo, mai pyramidiau enfawr oedd pob 'bryn'. Lledodd ei lygaid fel soseri wrth iddo sylweddoli pa mor anhygoel o enfawr oedd y temlau pyramid hyn.

Wrth astudio'r temlau anferth, gwyddai Paul beth oedd o'i le ar synau'r ddinas. Doedd 'na'r un car, bws na lorri yn rhan o'r cynnwrf o'i amgylch.

'Tipyn o olygfa, on'd yw hi?' meddai Xatlacan wrth ei ymyl. 'Manataya. Prifddinas teyrnas a phobol Manataya. Ac ar y funud, yn Ewrop, mae'r trigolion yn byw mewn cytiau o fwd ac yn addoli coed. Rhyfedd.'

Fedrai Paul wneud dim ond dal i syllu o'i amgylch. Roedd y ffordd yn drwch o drigolion y ddinas—pobl fyr, dywyll fel y rhai a welodd yn yr ogofâu. Sylwodd fod y rhan fwyaf â thrwynau crwca, talcennau uchel a llygaid main, tywyll. Dyma'r Indiaid cynharaf i gyrraedd De America, nododd Paul yn anghrediniol, ac eisoes yn byw bywydau gwâr, trefnus.

Roedd pawb yn gwisgo tiwnigau ysgafn, nifer o'r dynion yn noeth o'u gweisg i fyny a'r gwragedd yn gwisgo dillad mwy gweddus. Sylwodd ar y stondinau a werthai amrywiaeth amryliw o nwyddau: potiau a chrochenwaith, bara, blawd a grawnfwydydd, arfau o bres, celfi pren, cerfluniau bychain, yr holl bethau fyddai'n rhan o arddangosfa David Fitzwalter ymhen miloedd o flynyddoedd yn y dyfodol. Am y tro, roedd y cyfan yn destun dadlau a bargeinio brwd rhwng y prynwyr a'r gwerthwyr.

Prin y medrai gredu prysurdeb y lle. Dilynodd y ffordd lydan orau y gallai nes iddi ddiflannu yn y pellter. Yno, safai gwyrddni'r jyngl, yn amgylchynu'r ddinas ar bob ochr. Ac uwchben y cyfan disgleiriai haul tanbaid, llachar.

'Allan o'r ffordd!'

Neidiodd Paul o'i groen wrth glywed y llais cras y tu ôl iddo. Trodd i edrych ar berchennog y llais a syllu ar arfwisg o bres. Sylwodd yn bryderus ar y cleddyf byr yn y llaw a'r fraich gydnerth wrth ochr y llurig. Dilynodd ei lygaid y llurig i fyny nes gweld yr wyneb sarrug a edrychai i lawr arno.

'Allan o'r ffordd, y gwalch!' meddai'r milwr. 'Neu fe fyddi di'n aberth yn nheml Amaquatl bore fory!'

Ar amrantiad, llusgodd Xatlacan Paul yn ddiseremoni i'r naill ochr. Gwyliodd Paul yn syn wrth i bedwar milwr arall fynd heibio, y pedwar yn amgylchynu dyn lawn mor sarrug ei wep. Wrth weld y dyn hwnnw, tawelai trigolion y ddinas, gan ddechrau siarad ar ôl i'r grŵp fynd yn ei flaen rai metrau i ffwrdd.

'Pwy oedden nhw?' gofynnodd Paul, gan roi trefn ar ei ddillad blêr. 'A sut o'n i'n gallu deall y boi 'na? Rhan o ryw swyn, sbo.'

Gwenodd y dewin arno. 'Rwyt ti'n dysgu'n glou, Paul Gruffudd.' Edrychodd ar gefnau'r grŵp yn diflannu i lawr y bryn. 'A dyna'r drwg yn y caws,' meddai'n feddylgar.

'O gòd, mwy o'r blwmin stwff wîyrd i ddod,' meddai Paul gan edrych tua'r nen.

'Na, dim byd rhyfedd,' atebodd Xatlacan yn ddifrifol. 'Un o'r uchelwyr oedd hwnna. Mae 'na nifer fechan o bobol yn rheoli'r ddinas a'r deyrnas. Pobol hunanol, farus y'n nhw ar y cyfan, yn anffodus. Mae 'na ddigon o bopeth i bawb yma ym Manataya, ond dyw hynny ddim yn ddigon i rai o'r uchelwyr. Fydd rhai ohonyn nhw ddim yn hapus nes cael eu dwylo ar y rhan fwyaf o gyfoeth y deyrnas.'

'Nid uchelwr wyt ti, 'te?' gofynnodd Paul.

'Ha, dim o gwbl! Un o'r werin bobol ydw i, ac yn falch iawn o hynny. Ta beth, fydd trafod hyn ddim yn esbonio dim i ti am yr hyn sy'n digwydd i ti a fi yn dy gyfnod di. Dere. Fe gaiff yr haneswyr ysgrifennu traethodau diflas am "anghyfiawnder cymdeithasol y deyrnas hon" yn dy gyfnod di. Mae 'da ni bethau pwysig i'w gweld.'

Dechreuodd y ddau gerdded i lawr y ffordd lydan tua chanol y ddinas. Sylwodd Paul fod yr adeiladau'n agosach at ei gilydd wrth fynd i lawr y bryn, gyda mwy a mwy o bobl yn cerdded ar hyd a lled y strydoedd. Gwelodd ambell uchelwr neu uchelwraig arall wrth nesáu at ganol y ddinas, yn hawdd i'w hadnabod gyda'u gwarchodwyr arfog o'u hamgylch. Doedd y trigolion cyffredin ddim yn cario unrhyw arfau, fodd bynnag.

Ar gyffordd brysur, stopiodd Xatlacan yn ddirybudd. Pwyntiodd at uchelwr a'i warchodwyr ar ochr arall y stryd. 'Edrych yn ofalus arno fe, Paul,' meddai'n ddwys. 'Mae ganddo fe ran bwysig i'w chwarae yn ein stori. Amaquatl yw e. Uchelwr—a dewin.'

'Gyda'r un pwerau â ti?' gofynnodd Paul, gan ddychmygu'r ddau am funud fel cymeriadau mewn gêm *Playstation*.

'Mwy neu lai,' chwarddodd y dewin cyn difrifoli unwaith eto. 'Ond mae Amaquatl yn ddyn milain. Fe wneith e unrhyw beth i gael ei ffordd ei hun, a'r duwiau a helpo unrhyw un sy'n ei wrthwynebu.'

Gwyliodd y ddau mewn tawelwch wrth i warchodwyr Amaquatl weiddi ar rywun oedd yn eu ffordd. Fflachiodd yr haul ar lafn cleddyf a throdd Paul i ffwrdd rhag gweld y truan yn cael ei ladd yn ddiseremoni. Ddaeth yna'r un sgrech a throdd Paul yn ôl i weld y milwyr ac Amaquatl yn chwerthin yn groch wrth i'r dyn bychan gilio o'r golwg mewn rhyddhad.

Cliciodd Xatlacan ei fysedd a newidiodd yr olygfa'n ddisymwth. Teimlodd Paul ei ben yn troi wrth i bâr o gatiau enfawr ymddangos yn annisgwyl o'i flaen.

''Sen i'n hoffi tamed o rybudd cyn i'r pethau hyn ddigwydd,' meddai, gan rwbio'i stumog a thynnu wyneb. 'Ma'n stumog i'n teimlo'n ddigon dodji fel y mae hi gyda'r holl stwff Llwybr Amser 'ma.' Edrychodd yn amheus ar y gatiau mawr pren a'r waliau uchel o'i flaen. 'Ble y'n ni, ta beth?'

'Fy nhŷ i,' meddai Xatlacan. 'Dyma lle y dechreuodd popeth, fel y gweli di'n fuan.'

Gwthiodd y dewin un o'r gatiau mawr ar agor a cherdded drwy'r agoriad. A'i galon yn suddo, dilynodd Paul.

14

AMAQUATL

'Bydd pethau'n mynd yn eitha gwyllt o hyn allan,' meddai Xatlacan. 'Mae 'da ni lawer i'w weld a dim digon o amser i weld y cyfan.'

Safai'r ddau mewn clos o flaen tŷ un llawr, tŷ digon tebyg i'r tai eraill yn y ddinas. Roedd yr haul yn dechrau machlud. Taflai waliau uchel y tŷ gysgodion hir ar draws y llawr tywod; gellid eu gweld yn gwrido'n goch tanbaid yng ngolau ola'r diwrnod a'r ffenestri di-wydr yn dyllau tywyll, bygythiol yn y cochni.

'O'n i'n meddwl y byddet ti'n gallu defnyddio swyn neu rywbeth i roi digon o amser i ni,' meddai Paul.

'Dyw pethau ddim mor syml â hynny,' atebodd y dewin yn gwta. 'Mae 'na reolau. Fel deddfau ffiseg. Mae cadwraeth ynni'n berthnasol i hud yn ogystal â gwyddoniaeth.'

'Cadwraeth beth? O gôd, dwi ddim ishe gwbod. Rîli,' meddai Paul. 'Ma' digon 'da fi i gôpo 'dag e, eniwê. Gymera i dy air di. Ma'n gas 'da fi ffiseg 'ta p'un 'ny.'

'Chwarae teg i ti,' meddai Xatlacan â gwên slei.

79

'Ffordd hyn.' Cerddodd y ddau at yr unig ddrws oedd i'w weld. Agorodd hwnnw'n ddiffwdan i'r dewin a chamodd y ddau i mewn i dywyllwch y cyntedd y tu hwnt. Ymgyfarwyddodd llygaid Paul â'r gwyll. Rhedai coridor hir o'i flaen, oedd yn dywyll heblaw am olau gwan yn dod o ddwy ffagl fechan, un ar bob pen i'r coridor. Heb ddweud gair, cerddodd Xatlacan i ben arall y coridor, gan fynd heibio i sawl drws caeedig ar y ffordd. Ceisiodd Paul ddychmygu beth oedd y tu hwnt i'r drysau.

'Dim byd o bwys i ni,' meddai Xatlacan yn sydyn. 'Pe bai gen i'r amser, fe gaet ti wibdaith o gylch y tŷ.'

'Wedes i ddim byd,' meddai Paul. 'Jest meddwl o'n i. Onest tw gòd, o's dim byd yn sanctedd rhagor?'

Trodd y dewin ato. 'Paul Gruffudd, rwyt ti'n fachgen hynod dros ben. Ac yn un hy iawn hefyd. Gobeithio y maddeui di fy anghwrteisi i am ddarllen dy feddyliau fel yna. Arfer drwg, dwi'n gwybod, ond un na alla i roi'r gorau iddo.'

'Wel, ocê,' atebodd Paul. 'Jest tria wneud llai ohono fe, plîs. Dere. Dwi ishe gwbod beth sy'n mynd ymlaen.'

Cilwenodd y dewin eto gan agor y drws ar ben y coridor. 'I lawr fan hyn.' Arweiniodd Paul i lawr grisiau amrwd. Ar waelod y grisiau gallai Paul weld golau pŵl. Teimlai'r lle'n anghyfforddus o gynnes a llaith a chlywai synau estron yn nofio i fyny o'r dyfnderoedd, synau oedd yn ei aflonyddu. Dilynodd y dewin i lawr a'i galon yn curo'n galetach â phob cam.

Ar waelod y grisiau, trodd Xatlacan at Paul gan roi ei fys ar ei wefusau. Amneidiodd ar Paul i'w ddilyn a cherddodd y ddau i mewn i'r ystafell danddaearol. Roedd yna arogl ryfedd, sur i'w glywed yn yr ystafell isel, hir; arogl rhywbeth yn llosgi, ond doedd Paul ddim yn gallu ei adnabod. Tybiai na fyddai'n hoffi gwybod beth oedd yn ei arogli, beth bynnag.

Roedd yr ystafell yn rhy hir iddo allu gweld yn iawn beth oedd yn y pen arall. Dilynodd Xatlacan yn bwyllog, gan weld dim ond waliau a nenfwd o graig bob ochr iddo. Ar ôl rhyw ddeng metr tynnodd Xatlacan Paul i un ochr yn ddisymwth a phwyntio o'i flaen.

'Edrych,' sibrydodd o'u cuddfan y tu ôl i res o farilau pren amrwd.

Dilynodd Paul y bys tenau a theimlo'i wallt yn codi ar ei war. Ym mhen arall yr ystafell roedd Xatlacan! Ychydig yn iau, heb gynifer o linellau ar ei wyneb, ychydig yn llai musgrell, ond Xatlacan serch hynny.

'Ie, fi,' sibrydodd y dewin yn ei ymyl. 'Ychydig flynyddoedd yn iau, yn gweithio ar y swyn pwysicaf i fi geisio ei fwrw erioed.' Edrychodd Paul ar y dewin arall, y dewin ifanc, yn gweithio, yn cymysgu pastiau amryliw mewn potiau clai ac yn llosgi pethau uwchben crochanau o lo eirias.

Roedd y dewin ifanc wedi ei amgylchynu â silffoedd yn orlawn o botiau, piseri, sgroliau a phethau na hoffai Paul ddychmygu beth oedden nhw am y tro.

'Trio darganfod y gyfrinach i fywyd tragwyddol,' meddai Paul dan ei anadl.

'Un o'r pethau prin y llwyddodd y ffŵl Fitzwalter 'na i'w gael yn iawn. Fe fues i'n gweithio ar y swyn am dros ddeng mlynedd. Roeddwn i'n gobeithio y gallai'r darganfyddiad helpu'r deyrnas gyfan, rhoi gobaith i'r hen a'r sâl, a'r ifanc hefyd. Ond roedd gan rywun syniadau eraill. Edrych nawr.'

Newidiodd yr olygfa'n sydyn. Edrychai'r ystafell fwy neu lai yr un peth i Paul ond roedd hi'n amlwg iddo fod rhai blynyddoedd wedi mynd heibio ers yr olygfa flaenorol. Roedd y silffoedd fymryn yn fwy gorlawn, sbwriel yn gorwedd yn domenni wrth ymylon yr ystafell a blynyddoedd o fwg wedi duo'r nenfwd a'r waliau.

Ac yng nghanol yr anhrefn safai'r sarcoffagws.

Daliodd Paul ei anadl wrth weld yr arch enfawr yno. Edrychai'n oleuach na'r un y cofiai amdani, y gwaith naddu'n ddyfnach a chliriach cyn i dreigl miloedd o flynyddoedd eu treulio a'u sgwrio i ffwrdd. Gallai weld yn awr mai cerflun o Xatlacan oedd ar glawr yr arch enbyd.

'*Ti* sy ar y clawr,' meddai Paul yn rhyfeddol.

'Wrth gwrs. Rhan annatod o'r swyn,' sibrydodd

y dewin yn ddiamynedd. 'Ond anghofia am y sarcoffagws am funud ac edrych.'

Wrth astudio'r arch doedd Paul ddim wedi sylwi ar y ddadl oedd yn berwi rai troedfeddi i ffwrdd. Roedd y Xatlacan ifanc—os ifanc oedd y gair amdano erbyn hyn—yn dadlau'n ffyrnig â Manatayad arall. Adnabu Paul y dyn arall ar unwaith—Amaquatl, yr uchelwr o ddewin.

'Na, na, na!' Pwyntiodd y Xatlacan ifanc ei fys yn herfeiddiol at Amaquatl i bwysleisio pob gair. 'Mae'r swyn hwn ar gyfer *pawb* ym Manataya, nid i fodloni chwantau dyrnaid barus o uchelwyr diwerth!'

'Fe fyddi di'n difaru dweud hynny,' meddai Amaquatl yn fygythiol. 'Fodd bynnag, dwi'n fodlon anwybyddu'r amharch at fy nghyd-uchelwyr ar yr amod dy fod yn datgelu'r gyfrinach i fi. Dwi'n clywed dy fod ti bron â thynnu at derfyn y swyn.'

'Byth!' gwaeddodd Xatlacan. 'Chei di byth mo'r gyfrinach gen i. Nid nes i bawb gael gwybod beth yw hi. Ry'ch chi *uchelwyr*,' poerodd Xatlacan y gair, 'wedi manteisio arnon ni yn rhy hir o lawer. Mae'n bryd i'r werin gael rhywbeth iddyn nhw eu hunain.'

Cymylodd wyneb Amaquatl yn fwgwd o ddicter. 'Cawn weld beth fydd gan dy "werin" werthfawr i'w ddweud pan gân nhw wybod y gwir amdanat ti. Yr aberthu cyfrinachol, cipio'u plant gyda'r nos . . .'

'Byth! Mae pawb yn gwybod mai celwydd a chlecs yw hynny. Chi uchelwyr sy'n gwneud pethau erchyll felly.' Camodd Xatlacan yn hy tuag at Amaquatl ac am y tro cyntaf, edrychai hwnnw'n nerfus ym mhresenoldeb y llall.

'Mae'r werin bobol yn gwybod yn iawn fy mod i'n un ohonyn nhw i'r carn,' meddai Xatlacan yn bendant. Trodd yn sydyn a gafael mewn pastwn gan ei chwifio'n fygythiol dan drwyn Amaquatl. 'Cer o 'ma nawr! Os arhosi di ennyd arall fe fyddi di'n difaru dy eiriau.'

O weld yr olwg fygythiol o filain oedd ar wyneb Amaquatl, gwyddai Paul mai Xatlacan fyddai'n difaru ei eiriau.

15

HUD A LLEDRITH

'Yn anffodus, wnes i ddim meddwl o ddifri y gallai Amaquatl droi'r werin yn fy erbyn i. Fe lwyddodd i berswadio trigolion y ddinas mai *fi* oedd yn gwneud y pethau erchyll yma. Dwi ddim yn siŵr sut. Swyn, efallai . . .'

'Felly, doeddet ti ddim yn aberthu plant y ddinas er mwyn y swyn?' gofynnodd Paul. Cofiai'n glir yr hyn roedd wedi ei glywed gan Tom yn yr amgueddfa.

'Aberthu?' Chwarddodd Xatlacan. 'Byth. Fyddwn i *byth* wedi lladd unrhyw un arall. A doedd dim angen pethau felly ar gyfer y swyn, beth bynnag. Fe ddarllenodd Fitzwalter y sgroliau anghywir, sgroliau roedd dilynwyr Amaquatl wedi eu hysgrifennu.'

Tynnodd Xatlacan ar ei farf fechan wrth edrych gyda Paul ar ei hunan iau. 'Ti'n gwybod, Paul, fe alla i gofio bron yn union beth oeddwn i'n meddwl fan hyn. Ro'n i wedi anghofio am fygythion Amaquatl ac yn bwrw 'mlaen gyda'r swyn. A . . .' Tynnodd Xatlacan anadl sydyn a phwyso ymlaen fymryn. 'Dyma ni, y darn allweddol.'

Ar y gair, cyffrôdd y Xatlacan iau drwyddo. Lapiodd ei ddwylo mewn stribedi o ledr cyn defnyddio pâr mawr o binseri i dynnu mowld bychan gwynias o ganol un o'r crochanau o lo eirias. Gollyngodd y mowld yn ofalus ar un o'r meinciau gwaith a thorri'r clai â morthwyl pren. Defnyddiodd y pinseri unwaith eto i godi gwrthrych budr o blith y teilchion a'i ollwng i faril o ddŵr cyfagos. Poerodd stêm o geg y baril cyn i'r dŵr ymdawelu unwaith eto. Tynnodd y Xatlacan ifanc y stribedi lledr i ffwrdd cyn plymio'i ddwylo'n eiddgar i'r dŵr.

O'r dŵr ymddangosodd delw aur fechan yn ei ddwylo. Craffodd Paul yn agosach. Cerflun o Fanatayad oedd yn nwylo'r dewin iau, a nodweddion yr wyneb wedi eu gorbwysleisio: y trwyn yn fawr a chrwca a'r talcen yn uchel. Gwisgai'r dyn ddilledyn bychan o gylch ei lwynau a daliai ffon hir yn un llaw. Adnabu Paul arddull y cerflunio o'r arddangosfa a chofiai ddarllen am y ffordd y cerfiai'r Manataya eu cerfluniau a'u delwau.

'Delw o Dduw'r Gatiau,' meddai Xatlacan mewn parchedig ofn. 'I'r Manataya, hwn yw'r duw sy'n gwarchod y wawr a'r machlud, a phob lefel o'n huffernau amrywiol. Mae'r ddiwinydd-iaeth yn gymhleth, cred ti fi.

'Ond y peth pwysig yw mai'r duw hwn yw'r allwedd i'r cyfan. Ro'n i'n mynd i orwedd yn y sarcoffagws, gyda'r cerflun bychan yn ffitio i'w le ar y caead. Ymhen ychydig oriau fe fyddwn i'n ailymddangos yn ddyn anfarwol, wedi concro marwolaeth unwaith ac am byth.'

Tawelodd Xatlacan wrth wylio'i hunan iau yn gosod y cerflun yn ddefosiynol ar gaead yr arch, mewn rhigol oedd yn amlwg wedi treulio o'r golwg erbyn i Paul ei weld yn yr amgueddfa.

'Y pwynt yw,' meddai'r dewin wrth ei ochr, 'bod rhan o'r ysbryd yn cael ei anfon allan i'r cerflun bychan. Dyna'r gyfrinach.'

'A tua deng mlynedd o waith caled, sbo,' meddai Paul.

'Ar ei ben, Paul Gruffudd. Fe wnewn ni ddewin ohonot ti eto.'

Ciledrychodd Paul yn amheus ar Xatlacan. Beth oedd yn ei feddwl? Chafodd e fawr mwy o amser i bendroni. Gallai deimlo rhywun arall yn agosáu at yr ystafell. Cyrcydodd yn is y tu ôl i'r baril agosaf.

'Mae 'na rywun yn dod,' meddai'n bryderus. 'Gwell i ni aros o'r golwg.'

'Fe fyddwn ni'n iawn,' meddai'r dewin yn ffyddiog. 'Ond rwyt ti'n iawn. Dyma'r bennod ola yn fy hanes i fan hyn. Ac rwy'n gweld dy fod ti'n gwneud defnydd handi o 'mhwerau i . . .'

Daeth sŵn y drws pren yn cael ei falu'n yfflon o ben y grisiau uwch eu pennau a disgynnodd ambell styllen yn swnllyd i lawr y grisiau a chawod o sglodion yn eu dilyn. Clywodd Paul ôl traed dwsinau o bobl yn trampio i lawr y grisiau ac ymhen hanner munud dechreuodd torf orymdeithio i mewn i'r ystafell isel. Manatayaid cyffredin oeddynt, yn cario ffaglau a phastynau. Ac roeddynt yn ddig dros ben, yn galw am waed Xatlacan.

Ar amrantiad gollyngodd y Xatlacan iau y ddelw aur i mewn i'r baril o ddŵr a throdd i wynebu'r newydd-ddyfodiaid. Taflodd Paul olwg ar y Xatlacan wrth ei ochr. Roedd y dewin wedi ei hudo gan yr olygfa.

Ar flaen y dyrfa swnllyd cerddai Amaquatl, yn haerllug ei wep, gyda'i warchodwyr yn dilyn fel cŵn slafaidd. Plannodd yr uchelwr ei hun yn sgŵar o flaen y Xatlacan iau. Pe canolbwyntiai'n ofalus, gallai Paul synhwyro ynni'n ystwyrio yn Amaquatl, fel pe bai'n paratoi i fwrw swyn. Wrth ei ochr, ciledrychodd Xatlacan arno a chodi ei aeliau cyn rhoi nòd fechan, fel pe bai'n cytuno.

'Xatlacan!' gwaeddodd Amaquatl uwch udo'r dorf. 'Fe rybuddiais i ti y byddai hyn yn digwydd. Ac mae'r bobol,' trodd i annerch y gynulleidfa fel pe bai'n wleidydd o'r oes fodern, 'yn gwybod beth yw'r gwir amdanat ti.'

Dechreuodd y dorf sgrechian yn uwch.

'Lladdwch e! Lladdwch e!'

Gan droi'i gefn at y dyrfa, siaradodd Amaquatl â'r Xatlacan iau. 'Dyma dy gyfle ola di. Rho'r gyfrinach i fi!'

Ysgydwodd Xatlacan ei ben yn araf. Camodd i ffwrdd o'r sarcoffagws tuag at Amaquatl. Camodd hwnnw'n ôl yn bryderus cyn ymuno â llafarganu'r dorf.

'Lladdwch e!'

Hyrddiodd y dyrfa ymlaen tuag at y dewin gan wthio Paul a'r Xatlacan hŷn o'r neilltu'n ddi-seremoni. Roedd Paul yn siŵr fod popeth ar ben i'r Xatlacan iau pan atseiniodd taran enfawr drwy'r ystafell isel. Gyda'r sŵn yn canu yn ei glustiau a llwch yn dawnsio o flaen ei lygaid, gwyliodd Paul y Xatlacan ifanc yn sefyll yn feiddgar o flaen y dorf. Tasgai gwreichion o ynni llachar gwynias o'i ddwylo.

Ciliodd y dyrfa'n sydyn, gyda nifer yn dianc o'r golwg i fyny'r grisiau. Camodd y milwyr arfog ymlaen ond saethodd rhywbeth llachar o ddwylo Xatlacan a bwrw'r cleddyfau o'u dwylo. Disgyn-nodd yr arfau â chlindarddach swnllyd i'r llawr. Ar hynny, fflachiodd rhywbeth o ddwylo Amaquatl, rhyw belydr tanbaid a fwriodd Xatlacan ar wastad ei gefn. Ymhen munud roedd y milwyr wedi gafael yn y dewin. Gallai Paul deimlo'r hud grymus fel trydan yn yr awyr o'i amgylch.

'Yn ei arch!' gwaeddodd rhai o'r dyrfa. 'Caewch e i mewn.' Symudodd rhai o'r Manatayaid ymlaen a gwthio'r caead trwm ar agor. Ymdrechodd Xatlacan i dorri'n rhydd o afael y milwyr ond roedd eu cyhyrau cryfion yn drech na'i gorff eiddil e. Camodd Amaquatl ymlaen a gafael ym mhastwn un o aelodau'r dyrfa gan roi hergwd cas i Xatlacan.

Ymhen munud arall roedd y dewin arall wedi ei lapio mewn cynfas wen a'i gau yn y sarcoffagws.

16

ꝒLUƐN

Disgynnodd tawelwch llethol dros yr ystafell am funud neu ddwy wrth i bawb syllu ar y llwch yn dawnsio uwchben caead y sarcoffagws.

Ciliodd Paul a'r hen Xatlacan yn ddyfnach i'w cuddfan. Roedd y dyrfa'n amlwg wedi eu bodloni a dechreuodd pawb adael yr ystafell yn dawel.

'A dyna ni?' sibrydodd Paul. 'Sioe drosodd?'

'Ie, dyna ni,' atebodd Xatlacan. Gwyliodd yn feddylgar wrth i Amaquatl a'i warchodwyr adael, gyda dau grŵp bychan o'r dyrfa ar ôl yn yr ystafell yn sgwrsio'n dawel. Symudodd un grŵp tua'r sarcoffagws a'r llall at un o'r silffoedd gorlawn.

'O'r hyn a ddeallais i yn arddangosfa Fitzwalter,' meddai Xatlacan, 'o'r haf nesaf ymlaen fe fu yna un cynhaeaf gwael ar ôl y llall. Mewn llai na deng mlynedd roedd newyn yn bla yn y deyrnas. O fewn ychydig flynyddoedd pellach roedd y ddinas yn wag a'r jyngl yn dechrau hawlio'r gwastadedd iddo'i hunan unwaith eto.'

Teimlai Paul yn drist yn sydyn. Ai dyna ddiwedd y deyrnas a'r ddinas fawreddog hon?

Dinas na fyddai ei thebyg yn Ewrop am filoedd o flynyddoedd yn diflannu i'r jyngl unwaith eto. Roedd y peth yn anhygoel. Fedrai Paul ddim deall hanes o gwbl weithiau.

'O diar, mae hi'n bryd gadael,' meddai Xatlacan yn ofidus. Edrychodd yn bryderus tua'r dyrnaid o Fanatayaid oedd yn trafod yn frwd wrth y sarcoffagws caeedig. Pwyntiai un ohonynt at y man lle dylai'r delw fechan fod ar glawr y sarcoffagws. Symudodd y grŵp arall oedd ar ôl o'r silffoedd tua'r grisiau.

'Gwell i ni adael gyda'r rhain,' meddai Xatlacan. 'Does 'na ddim y gallwn ni ei wneud yma.'

'Ac fe fyddan nhw'n ein gweld ni fel dau o'r Manataya?' gofynnodd Paul, gan geisio dyfalu beth oedd y dewin yn ei feddwl.

'Wrth gwrs. Ti'n gwybod yn iawn sut mae'r swyn yn gweithio. Derc.' Dechreuodd y ddau symud tua'r grisiau pan alwyd arnynt gan un o'r Manataya oedd yn sefyll wrth y sarcoffagws.

'Hei, chi! Arhoswch!'

'Dalia i gerdded,' meddai Xatlacan gan wthio Paul o flaen y grŵp oedd ar fin gadael. 'Mae'n siŵr eu bod nhw'n siarad â'r rhain fan hyn.'

Cymerodd Paul gam neu ddau arall cyn rhewi wrth glywed y geiriau nesaf.

'Paul Gruffudd!'

Trodd Paul a rhythu'n hurt ar y Manatayad wrth y sarcoffagws. Dyma nhw, dair mil o flynyddoedd yn y gorffennol ac roedd un o'r trigolion yn ei alw wrth ei enw. Ceisiodd ddweud rhywbeth wrth Xatlacan ond roedd ei geg wedi sychu'n grimp. Symudodd y Manatayad yn agosach; dyn cydnerth, sarrug yr olwg a'i wallt tywyll wedi ei dynnu'n ôl yn dynn oddi ar ei dalcen.

'Ie, ti. Dwi eisiau gair â ti. A ti, hen ddyn,' ychwanegodd gan edrych ar Xatlacan.

Paul, dwi angen eiliad neu ddwy'n rhagor. Martin . . .

Clywodd Paul lais Xatlacan yn ei ben yn eglur ond gwyddai na fedrai neb arall yn yr ystafell ei glywed. Crychodd ei dalcen wrth geisio dyfalu pam y soniodd y dewin am Martin.

Fel fflach, daeth y cyfan yn glir iddo. Ond roedd angen i'r Manatayad ddod yn agosach.

'Gair â fi?' meddai Paul yn herfeiddiol. 'Rwyt ti'n siarad ag un o'r uchelwyr. Fe fyddi di'n difaru'r amarch hwn.'

Caeodd y Mantayad ei ddyrnau gan edrych yn fwy sarrug fyth. Nesáodd at Paul ac roedd ar fin dweud rhywbeth, ond yr eiliad nesaf roedd ar wastad ei gefn yn ymladd am ei anadl. Yn union fel Martin ar y maes chwarae, meddyliodd Paul, gan sylweddoli'r hyn roedd Xatlacan wedi ei awgrymu.

Ni chafodd ragor o amser i feddwl am y peth wrth i'r ystafell ddadmer o'i amgylch.

Yr eiliad nesaf roedd yn sefyll ar Lwybr Amser unwaith eto. Teimlodd y dewin yn ei brocio yn ei gefn.

'Paul, rhed! Paid ag edrych yn ôl!'

Heb ofyn pam, dechreuodd Paul redeg ar hyd y Llwybr, gan ofalu ei fod yn cadw'n glir o'r niwl bob ochr iddo. O'r tu ôl gallai glywed lleisiau'r Manataya yn gweiddi arnyn nhw.

'Hei, chi! Stopiwch!'

Ceisiodd anwybyddu'r lleisiau a rhedodd yn galetach. Ar ôl rhyw gan metr arall roedd ei anadl yn llosgi yn ei frest ac arafodd ei gamau fymryn.

Roedd rhywbeth ar y llwybr o'i flaen. Plygodd i edrych yn agosach a gweld mai pluen amryliw oedd yn gorwedd yno. Ond o ba aderyn? Cofiodd yn sydyn am yr arddangosfa a sgwrs Tom.

Pluen parot oedd hon. Arwydd o berygl!

Ac ni fedrai glywed Xatlacan y tu ôl iddo mwyach. Oerodd drwyddo a meiddiodd edrych dros ei ysgwydd.

Suddodd ei galon o weld Xatlacan yn ymdrechu'n galed i redeg, ei ddillad yn dechrau trawsnewid o ddillad y Manataya i'w ddillad modern. Ond yr hyn a godai ofn ar Paul oedd y cysgod tywyll oedd yn agosáu at y dewin. Gwyliodd yn ddiymadferth wrth i'r cysgod droi'n grafangau hirion yn ymestyn am Xatlacan, gyda phen parot yn ymddangos o'r cysgodion, y llygaid erchyll yn fflachio'n danbaid.

Wrth i grafanc finiog ddisgyn am wddf y dewin, caeodd Paul ei lygaid yn dynn rhag gweld yr olygfa erchyll oedd i ddod.

17

YNG NGOLAU'R MACHLUD

Diflannodd popeth am funud. *Popeth*. Ni fedrai Paul weld, clywed, arogli na theimlo unrhyw beth. Roedd hi'n union fel pe bai pob dim wedi peidio â bod.

Y funud nesaf roedd Paul yn edrych i lawr ar rywbeth mawr gwyrdd. Roedd y peth yn dod yn agosach, yn agosach—beth oedd e? *Ble* oedd e?

Trawodd Paul y ddaear yn galed.

'Aw!' Rholiodd ar ei gefn gan geisio tynnu anadl. Uwch ei ben roedd awyr las. Dan ei gefn roedd—glaswellt. Glaswellt! Chwarddodd Paul, gan wneud tynnu anadl yn fwy anodd fyth. Wrth iddo gael trafferth i dynnu anadl chwarddodd yn galetach nes ei fod yn hanner-chwerthin, hanner-tagu ar y glaswellt. Peth gwyrdd! Am syniad gwirion!

O'r diwedd, llwyddodd i'w reoli'i hun a chodi ar ei eistedd. Rhwbiodd ei ysgwydd yn dyner. Aw, fe fyddai 'na glais mawr fan'na fory. Sylwodd ei fod yn gwisgo'i ddillad cyffredin, modern unwaith eto. Edrychodd o'i amgylch. Roedd yn eistedd yng nghanol y parc ger ei dŷ. Ble'r oedd y Llwybr Amser? Ble'r oedd Xatlacan?

Roedd yr haul yn dechrau disgyn yn is, tua thoeau'r tai cyfagos. Haul cochlyd hwyr y prynhawn, meddyliodd Paul. Trwy gornel ei lygad gwelodd rywbeth yn wincio yng ngolau'r machlud.

Roedd pluen arall, pluen parot, yn gorwedd ar y borfa lai na hyd braich i ffwrdd. Estynnodd Paul am y bluen a'i galon yn suddo. Perygl! Beth ddigwyddodd i Xatlacan, meddyliodd yn ofidus. Dechreuodd ddyfalu'r gwaethaf. Oedd y creadur ar Lwybr Amser wedi ei . . .

''Shgwlwch ar y twpsyn 'na,' meddai rhywun yn annisgwyl y tu ôl iddo.

Trodd Paul i weld nifer o blant yn gwisgo crysau glas golau a thei melyn a glas tywyll ei ysgol. Roedd un ohonyn nhw'n pwyntio at Paul ac yn chwerthin yn gras. Nid oedd Paul yn eu hadnabod, ond edrychai'r haid fel disgyblion hŷn, blwyddyn Naw neu Ddeg efallai.

'Beth sy'n bod arnat ti?' gofynnodd Paul yn swta, gan godi'n simsan ar ei draed. Ar ôl dianc o grafangau duw-barot milain, doedd ganddo ddim amynedd gyda thwpdra disgyblion ysgol.

'Grindwch arno fe,' meddai'r bachgen oedd yn ei watwar, clamp o fachgen a thomen o wallt coch ar ei ben. 'Pwy wyt ti'n meddwl wyt ti? Yn eistedd fel lwni ar y glaswellt yn whare 'da'r bluen 'na.'

'Gwranda,' dechreuodd Paul, ond gafaelodd rhywun ym mraich y bachgen.

'Gad e fod,' meddai'r bachgen newydd. ''Ma'r boi roddodd grasfa i Martin Evans bore 'ma. Gwell i ti wylio dy hun.'

Gwelwodd y bachgen pengoch a heb air pellach symudodd y disgyblion tua'r llithren a'r ffrâm ddringo, gan siarad yn dawel ymysg ei gilydd. Edrychodd Paul yn hurt ar eu hôl. Bore 'ma, ddwedodd y bachgen arall. Ni fedrai Paul ddeall y peth. Roedd e wedi bod ym Manataya am oriau maith ac eto wedi cyrraedd yn ôl fawr hwyrach na'r amser iddo adael.

'Un o fanteision Llwybr Amser,' meddai llais cyfarwydd.

Trodd Paul ar ei sawdl unwaith eto i weld Xatlacan yn eistedd yn y fan lle'r oedd Paul funud ynghynt. Roedd y dewin yn rhwbio'i goes yn boenus. Syllodd Paul yn ddwl ar y dewin, heb ddeall yn iawn eto pwy yn union roedd yn ei weld. Cododd y dewin ar ei draed a dechrau rhwbio'i fraich.

'Mae dilyn Llwybr Amser fel dal bws,' meddai, gan wingo mewn poen wrth i'w law ddarganfod y clais ar ei fraich. 'Fe fedri di ddewis y man cychwyn, pen y daith a dychwelyd i'r man cychwyn eto.'

Rhoddodd Xatlacan ochenaid fechan o boen. 'Gwaetha'r modd, mae bod mas ohoni ychydig eiliadau a throedfeddi yn gallu bod yn boen yn y . . .' Chwarddodd yn fyr cyn edrych yn feddylgar ar Paul. 'Wyt ti'n iawn, Paul Gruffudd? Wyt ti mewn poen?'

'Jest . . .' Ceisiodd Paul roi trefn ar ei feddyliau a'i deimladau cymysg. 'O'n i ddim yn disgwyl dy weld ti,' meddai'n syn. 'O'dd y peth 'na y tu ôl i ni a . . .' Ysgydwodd ei ben. 'O'dd pethe'n edrych yn 'itha tywyll am funud.'

'Oedden wir,' ochneidiodd Xatlacan. 'Efallai 'mod i'n edrych yn hen, ond mae 'na ddigon o fywyd ac ambell dric yndda i o hyd.' Edrychodd o'i amgylch yn bryderus. 'Does 'na ddim dal am ba hyd y bydd y swyn yn eu cadw nhw draw, cofia. Gwell i ni fwrw tua'r tŷ. Mae'n siŵr bydd dy dad yn disgwyl amdanon ni.'

'Dad?' gofynnodd Paul yn hurt. Roedd e wedi anghofio pob dim am ei dad ac ymweliad 'Wncwl Sam' a'r swyn a fwriodd y dewin ar ei dad. Ond roedd yna bethau mwy pwysig ar ei feddwl ar y funud.

'Dwi'n siŵr bydd Dad yn ocê,' meddai'n frysiog. 'Ond beth am y boi 'na? Fe wedodd e fy *enw* i, myn. Yffach, gododd e ofon arna i. Dair mil o flynyddoedd yn y gorffennol.' Taflodd Paul gipolwg o'i amgylch a gweld mainc gyfagos. Cerddodd yn araf am y fainc a'r dewin yn ei ddilyn yn dawel.

'A beth am y . . . *peth* 'na ar Lwybr Amser?' meddai Paul wrth eistedd yn flinedig ar y fainc. Gallai deimlo'r blinder yn drwm yn ei goesau.

'Beth o'dd e? A beth y'n ni'n mynd i wneud nawr?'

Syllai Xatlacan yn dawel arno, ei aeliau trwchus yn crychu'n feddylgar wrth wrando. Ni ddywedodd yr un gair am hanner munud. Yna, nodiodd ei ben yn araf ac eistedd yn ôl ar y fainc. Ar ôl hanner munud arall o dawelwch dechreuodd Paul golli ei amynedd. Oedd e'n mynd i ddweud rhywbeth?

'Ydw, dwi'n mynd i ddweud rhywbeth,' meddai'r dewin gan droi at Paul. Gwelodd yr olwg ar wyneb Paul. 'Mae'n ddrwg gen i,' dechreuodd, ond torrodd Paul ar ei draws.

'Dwi'n gwybod,' meddai Paul. 'Hen arfer drwg. 'Sdim ots am nawr. Dwi jest yn credu y dylwn i gael gwbod beth sy'n digwydd. Wedi'r cyfan, ma' rhan o dy ysbryd di ynddo' i.'

'Ac os na symudwn ni'n glou, ynot ti y bydd e'n aros hefyd,' atebodd Xatlacan.

Teimlodd Paul y byd yn troi wyneb i waered unwaith eto.

18

XATLACAN YN ESBONIO

'Beth?' Roedd pen Paul yn troi. Caeodd ei lygaid yn dynn am funud nes i'r teimlad ei adael.

'Fe allwn i fod fel hyn am byth?' gofynnodd yn daer. 'Onestli, jest pan o'n i'n meddwl fod popeth yn mynd i fod yn iawn. Gwmws fel sôp opera, un sioc gas ar ôl y llall!'

Ochneidiodd wrth eistedd yn ôl ar y fainc. Syllodd i'r pellter. Efallai fod gallu gwneud prawf mathemateg yn rhwydd a rhoi Martin Evans yn ei le yn dipyn o fonws annisgwyl, ond fe fyddai'n well gan Paul ddychwelyd at rywfaint o normalrwydd mor fuan ag oedd yn bosib.

'Aros funud,' meddai Xatlacan yn addfwyn wrth ei ochr. Edrychodd Paul ar y dewin hynafol. Eisteddai'n llonydd a'i lygaid ar gau, a golau'r machlud yn gwneud i'w groen wrido'n euraid. 'Dyw pethau ddim mor anobeithiol â hynny. Does ond raid i ni roi trefn ar ein meddyliau ac mae'n siŵr y gwelwn ni ateb i'r broblem.'

'Ond ble allwn ni ddechre?' gofynnodd Paul. 'Ma'r holl sefyllfa'n fès llwyr. Rîl catastroffi.

Awê wun i'r tîm arall. Hôm diffît.' Tawodd wrth i'r dewin godi ei law.

'Fe ddechreuwn ni yn y lle callaf,' meddai Xatlacan. 'Yn arddangosfa David Fitzwalter.'

'Ocê,' meddai Paul. Rhoddodd funud iddo'i hun i ymdawelu. Arhosodd y dewin yn amyneddgar iddo siarad. 'Reit, fe agorodd y sarcoffagws ac fe weles i'r corff. Ti.'

'Iawn.'

'Ac yn y funud honno, fe a'th peth o dy ysbryd di i mewn i fi, rywsut. A rhoi'r pwerau od 'ma i fi.' Crafodd Paul ei ên yn feddylgar. 'Sut ddigwyddodd hynny, 'te?'

'Digon rhwydd,' atebodd Xatlacan. 'Fe welaist ti beth ddigwyddodd ym Manataya. Fe gaeon nhw fi yn yr arch. Fe geisies i daflu fy ysbryd i mas i achub fy hun ond doedd delw Duw'r Gatiau ddim ar yr arch.'

Cyffrôdd Paul drwyddo wrth ddilyn trywydd y dewin. 'Ac felly ro'dd dy ysbryd di'n nofio yn y sarcoffagws am filo'dd o flynyddo'dd yn edrych am rywle i fynd . . . i guddio 'sbo. A fi oedd y pŵr dab cyfleus cynta.'

Rhoddodd y dewin ddyrnod brwd i'r fainc. 'Ar ei ben, Paul Gruffudd!' meddai, gan rwbio'i ddwrn poenus. 'Rwyt ti'n fachgen hynod dros ben, fel y dwedais i.'

'So,' meddai Paul, yn mynd i hwyl, ''na fi yn sefyll fel lembo 'da rhan o dy ysbryd di yno' i ac wedyn dwi mewn ogofâu â gwa'd yn rhedeg lawr y welydd. Beth o'dd hwnna 'te?'

Syllodd y dewin ar ei law am funud. 'Dyma lle ma' pethe'n mynd yn gymhleth. Ry'n ni o amserau gwahanol, o leoedd gwahanol. Yn nhrefn iawn pethau, ddylen ni'n dau erioed fod wedi cwrdd.'

'Ie, dwi'n gweld *'ny*,' meddai Paul yn ddiamynedd.

'Ac mae 'na le sydd rhwng fy amser a fy lle i,' meddai Xatlacan, 'a dy amser a dy le di. Y Lle Tywyll.'

Griddfanodd Paul yn uchel. 'O, hîr wî go,' meddai'n anobeithiol. 'Mwy o mymbo jymbo. Pam na all dim byd fod yn syml?'

'Ond mae'n ddigon syml,' meddai'r dewin yn bwyllog. 'Mae'r Lle Tywyll yn gorwedd rhwng amser y Manataya a'r presennol. Rhywle lle y gall hud a lledrith fy amser i gyd-fyw â rhesymeg a gwyddoniaeth dy amser di. Rhywle lle y gall y duwiau anghofiedig fyw.'

'O, reit, dwi'n credu 'mod i'n gweld,' meddai Paul yn fwy gobeithiol. 'Rhyw fath o ddimensiwn sbwci lle ry'n ni'n gallu rhoi trefen ar unrhyw brobleme.'

'Rhywbeth tebyg, ie. Doedd fy ysbryd i ddim i fod ynot ti, felly fe gest ti dy anfon i'r Lle Tywyll dros dro.'

'Felly rhyw fath o freuddwyd o'dd e?'

gofynnodd Paul. Rhoddodd y dewin nòd fechan. 'Ocê, beth am y jyngl 'na? Ti'n bownd o fod wedi darllen 'y meddwl i am hynna hefyd. O'dd y deml yn y jyngl yn y Lle Tywyll 'fyd?'

'Oedd,' atebodd Xatlacan yn ddwys. 'Ond . . .'

'Y llaw,' meddai Paul ar ei draws. 'Y llaw'n estyn am 'y ngwddw i.'

'Ie, dyna o'n i'n feddwl. Dwi'n credu . . .'

Torrodd Paul ar ei draws unwaith eto. 'Stopia fan'na. Dwi'n gwybod yn barod pwy o'dd e.'

'Wyt ti wir?' gofynnodd Xatlacan gan godi ei aeliau.

'Odw. Amaquatl. Y dewin cas 'na welon ni yn y ddinas. Bownd o fod.'

'Anhygoel.' Chwibanodd y dewin. 'Rwyt ti'n deall mwy nag oeddwn i'n ei feddwl, Paul Gruffudd. Ie, Amaquatl sydd ar dy ôl di. Amaquatl.' Clywodd Paul y tinc estron o'r newydd yn llais Xatlacan wrth iddo ynganu'r enw arall.

'Mae'n siŵr fod ganddo gystal syniad â ni beth sy wedi digwydd,' meddai Xatlacan. 'Ac mae'n siŵr fod ganddo ei swynion ei hun i ddarganfod pethau. Mae'r swynion hynny wedi ei arwain ar dy drywydd di i'r Lle Tywyll.'

'Ac i'r gorffennol. Ar hyd Llwybr Amser,' ychwanegodd Paul yn fyfyrgar. 'Ond pam?' Wrth iddo ofyn y cwestiwn roedd yr ateb eisoes yn dechrau gwawrio ar Paul. Syllodd yn ddistaw ar y machlud wrth i'r dewin siarad unwaith eto.

'Mae e'n chwilio am gyfrinach bywyd tragwyddol. Fel yr oedd e dair mil o flynyddoedd yn ôl. Rywsut, mae e wedi llwyddo i oresgyn crafangau amser ei hun. Am y tro.' Cododd Xatlacan. 'Dere, mae'n oeri yma. Mae'n bryd mynd gartre.'

Cododd Paul, ond roedd rhywbeth yn ei boeni o hyd. 'Aros funud,' meddai, gan rwbio'i wyneb yn flinedig. 'Dwi dal ddim yn gweld sut y gallwn ni ei helpu e. Sut y galla i, ta beth. Roiest ti mo'r gyfrinach iddo fe bryd 'ny, felly mae'n siŵr ei fod e'n gwybod na wnei di nawr.'

'Efallai 'i fod e'n gwybod mwy am y gyfrinach nag y'n ni'n ei dybio,' meddai Xatlacan. Clywodd Paul dinc cyfrwys yn llais y dewin. Bron fel pe bai'n ceisio ei annog yntau i gael hyd i'r ateb drosto'i hun.

'Mae e'n edrych am yr union beth fydd yn ein helpu ni,' meddai Xatlacan yn awgrymog. 'Yr un peth fydd yn rhyddhau fy ysbryd i.'

Wrth gwrs! Gwawriodd yr ateb ar Paul o'r diwedd. 'Y ddelw!' gwaeddodd yn gyffrous. 'Duw'r Gatiau!' meddai fymryn yn dawelach. 'Mae dy ysbryd di i fod i fynd i mewn i'r ddelw. Mae Amaquatl yn gwybod mai'r ddelw yw'r allwedd i'r cyfan, sbo.'

Gwenodd Xatlacan. Trodd ei ben a chulhaodd ei lygaid yn erbyn golau'r machlud. 'Da iawn, Paul Gruffudd. Dwi'n credu mai dyna'r ateb hefyd. Ond dim ond yr ateb yw e. Mae'n rhaid i ni ddod o hyd i'r ddelw. Heb honno, fydd yr ateb yn werth dim.'

'Yr arddangosfa yw'r lle gore i ddechrau 'te,' meddai Paul yn ysgafn.

'Wrth gwrs.' Syllodd Xatlacan yn ddifrifol arno. 'Ond cofia, bydd Amaquatl a'i warchodwyr ar ein holau ni ac ar ôl y ddelw.'

Pwyntiodd Xatlacan at law Paul. 'Paid ag anghofio arwyddocâd hwnna.'

Neidiodd Paul fymryn o sylweddoli ei fod yn dal y bluen barot yn ei law o hyd. 'Perygl,' meddai'n nerfus.

'Rhybudd gan y duwiau, efallai, Paul Gruffudd. Gwell i ni droi tua thre.'

Roedd y ddau wedi dechrau cerdded tuag at gatiau'r parc pan drodd Paul at y dewin.

'Xatlacan?' Stopiodd y ddau yn eu hunfan am funud. 'Does dim angen i ti fy ngalw i'n "Paul Gruffudd" o hyd. Wneith "Paul" y tro'n iawn.'

Chwarddodd y dewin, ond roedd yna olwg bryderus yn ei lygaid nad oedd Paul yn ei hoffi.

19

⟨ANT Y ⟨ANT

Croesawodd Paul y teimlad o ryddhad a lifodd drwyddo wrth iddo gerdded drwy ddrws y tŷ o'r diwedd. Teimlai ei fod mewn lle cyfarwydd, diogel unwaith eto yn bell i ffwrdd oddi wrth greaduriaid hanner-parot, hanner-dynol, oddi wrth wareiddiad marw, o hud a lledrith ac unrhyw beth anghyffredin.

Yng nghefn ei feddwl, gwyddai'n iawn beth oedd o'i flaen ond, am y tro, byddai'n falch o gael paned a sleisen o gacen ei fam. Gallai glywed lleisiau ei fam a'i dad yn dod o'r ystafell fyw ac wrth gerdded drwy'r cyntedd sylwodd ar Xatlacan yn gwneud symudiad bychan â'i law ac yn mwmial rhywbeth dan ei anadl. Gwyddai Paul fod y dewin yn bwrw swyn 'Wncwl Sam' ar ei fam.

'Sam! Mae hi mor hyfryd i dy weld di!' Cododd ei fam ar ei hunion o'r soffa gan gadarnhau amheuon Paul ar unwaith. Cofleidiodd Xatlacan cyn plannu cusan ar ei foch.

'Roedd Bob yn dweud yr hanes wrtha i nawr,' meddai Mrs Gruffudd. 'Mae hi mor grêt dy fod ti wedi penderfynu galw i mewn. Mae Bob wedi gwneud tebotaid o de. Steddwch y ddau ohonoch chi, ac fe ddo' i ag e i mewn.'

Eisteddodd y ddau a dechreuodd Xatlacan fân-siarad â Mr Gruffudd. Synnai Paul o'r newydd y gallai Xatlacan wneud y fath beth. Beth fyddai'n digwydd pe bai'r Wncwl Sam go iawn yn ffonio neu'n ymweld? Doedd yna fawr o siawns o hynny, cofiodd Paul, gyda Sam yn y Dwyrain Canol am fisoedd eto.

'Popeth yn iawn?' gofynnodd ei fam gan estyn mygaid o de iddo a darn o deisen siocled ar blât. 'Sut wyt ti'n teimlo? O'dd dy dad yn dweud dy fod ti wedi cael tro cas yn yr ysgol.'

Cymerodd Paul y te a'r deisen yn eiddgar a chymerodd lwnc o'r te. 'Do, ffili côpo 'da popeth, sbo,' meddai Paul. 'Ond dwi'n iawn nawr. Tamed o awyr iach wedi gwneud y tric.' Bwriodd ati i fwyta'r deisen er mwyn osgoi gorfod esbonio mwy.

'Rhyfedd fel y gall awr neu ddau yn yr awyr iach newid dyn,' meddai 'Wncwl Sam' yn ysgafn. 'Pan o'n i yn Saudi, o'n i . . .'

Chlywodd Paul mo weddill brawddeg Xatlacan wrth i'r ffôn ganu. 'Ateba i hwnna,' mwmialodd â'i geg yn llawn teisen siocled gan godi i ateb y ffôn.

'Gwylia na wnei di golli'r te 'na,' gwaeddodd ei fam ar ei ôl, ond roedd Paul eisoes yn y cyntedd. Cododd y ffôn o'i grud.

'Hylô?'

'Paul? Hywel sy 'ma.' Swniai Hywel fymryn yn nerfus. 'Grinda, ma'n ddrwg 'da fi weiddi arnat ti heddi. O'n i'n dechre mynd braidd yn ffrîcd 'da popeth o't ti'n ddweud. Sori.'

'Paid â phoeni. Alla i ddeall yn iawn.' Ar ôl teithio tair mil o flynyddoedd mewn un prynhawn a gweld pethau na fyddai Hywel yn eu credu na'u deall mewn canrif, fedrai Paul ddim dal dig yn erbyn ei ffrind. 'Na, popeth yn ocê. Shwt o'dd yr ysgol?'

'Ffein. Lot o bobol yn siarad amdanot ti.'

'Beth yn union?'

'O, dere, Paul. Roddest ti gosfa i Martin. Ma' pawb yn siarad am y peth. Fe a'th e gartre, myn! Wir! Welodd David Lloyd 8C e'n mynd a wedodd e fod Martin yn rîli dawel. Ddim yn dy fygwth di na dim fel 'set ti'n ddisgwl. Mae'n siŵr dy fod ti wedi rhoi yffach o sioc iddo fe. Brôcyn man, ontefe.'

'Falle cawn ni lai o drwbwl 'da fe yn y dyfodol,' meddai Paul yn feddylgar. 'Ond dwi ddim am gael enw fel ymladdwr chwaith, Hyw.'

'Dwi ddim yn credu y cei di. Ma' pawb yn sôn am y peth fel wan-off; Paul Gruffudd yn colli'r plot am bum munud. Gwasan'eth normal wedi 'ny.'

Chwarddodd Paul. 'Sa i mor siŵr am y bit "normal" 'na, Hyw. Beth am y prawf mathemateg? Gethoch chi'r atebion?'

Clywodd Paul Hywel yn oedi ar ben arall y lein. 'Hyw? Ti'n iawn?'

'Odw, dwi'n iawn, ond ti'n gwybod ma' dim ond un wers faths sy 'da ni heddi.'

'O ie. Anghofies i.'

'Na, Paul, 'smo ti'n gweld y pwynt. 'Na'r peth mwya wîyrd. Dda'th Williams Maths i mewn i'r wers Saesneg yn edrych amdanot ti. O'dd e'n chwys stecs, yn gyffro i gyd. Wedodd Pritchard Inglish dy fod ti off yn sâl—a dyma'r peth—glywes i Williams yn dweud wrtho fe dy fod ti wedi ca'l marcie llawn yn y prawf maths.'

'Beth?' Fedrai Paul ddim credu'r hyn roedd Hywel yn ei ddweud. 'Wir?'

'Onest tw gòd, Paul. Cant y blwmin cant. Jami neu beth? Wyt ti 'di bod yn adolygu yn dy gwsg neu rywbeth?'

'Na, dwi'n . . .' Gwyddai Paul beth oedd yn gyfrifol—pwerau Xatlacan. Torrodd Hywel ar ei draws.

'Grinda, ma'n rhaid i fi fynd, ma' Mam wedi gwneud te a Dad yn bygwth gwneud i fi dalu'r bil ffôn. Pryd wyt ti'n ôl yn yr ysgol?'

'Dwi'm yn siŵr. W'thnos nesa falle. Gewn ni weld.'

'Ocê. Gobeithio dy fod ti'n well. Falle gallwn ni fynd i'r ffwti ddydd Sadwrn.'

'Ie, ocê. Syniad gwych. Gewn ni weld. Hwyl.'

Rhoddodd Paul y ffôn yn ôl yn ei grud gan deimlo'n hapusach. Yn ei ffordd ei hun, roedd

Hywel yn trio ei helpu ac er na fedrai ddeall yn union beth oedd yn digwydd, roedd e'n dal i fod yn ffrind da. Roedd hynny'n rhywbeth calonogol. Gorffennodd Paul ei de a dychwelyd i'r lolfa.

'Wel, beth amdani, 'te?' gofynnodd Xatlacan ar unwaith. Rhythodd Paul yn ddwl ar y tri arall.

'Beth am be?' gofynnodd.

Cododd y dewin ei aeliau ac edrych tua'r to, a chwarddodd Mr a Mrs Gruffudd. 'Yr arddangosfa. O'n i'n dweud dy fod ti am fynd i ga'l golwg eto ar y lle. Falle y bydde hynny'n helpu ti i ddod dros beth ddigwyddodd yno.'

Siaradai'r dewin yn araf ac awgrymog gan aros i Paul ddeall yr hyn roedd yn ei ddweud. 'Ma' gan dy dad alwade ffôn i'w gwneud ac mae Non yn flinedig ac fe awgrymes i y byddwn i'n mynd â ti.'

Deallodd Paul o'r diwedd beth oedd y dewin yn ei awgrymu. Roedd e wedi anghofio'r cyfan am y ddelw am funud wrth siarad â Hywel!

'Ma' Sam yn iawn, Paul bach,' meddai'i fam. 'O'n i mewn cyfarfod drwy'r prynhawn ac ma' 'mhen i'n troi. Ewch chi, ond gofalwch y'ch bod chi'n ôl erbyn naw fan bella.'

'Paid â phoeni, Non,' meddai Xatlacan gan estyn cot Paul iddo. 'Fe fydd pob dim yn iawn.'

Sylwodd Paul ar y symudiad llaw bychan o eiddo'r dewin. Wedi iddyn nhw ffarwelio â'i rieni a gadael y tŷ, trodd Paul at Xatlacan.

'Beth wyt ti wedi'i wneud i Mam a Dad?' gofynnodd.

'Rwyt ti'n graff iawn, Paul Gr . . . Paul,' meddai'r dewin â gwên gellweirus. 'Fe fwriais i swyn fel bod pethau'n dychwelyd fel roedden nhw cyn i mi ymddangos. Os doi di'n ôl unwaith eto, fydd dy fam na dy dad yn cofio dim am unrhyw ymweliad gan Wncwl Sam. Dere, mae'n tywyllu. Gwell i ni frysio.'

Dilynodd Paul gan geisio rheoli'r teimlad anghysurus o ofn a phanig oedd yn codi yn ei frest wrth i eiriau ola'r dewin chwarae drosodd a throsodd yn ei ben.

Os doi di'n ôl unwaith eto.

Doedd Paul ddim yn hoffi'r gair 'os' o gwbl.

ARSWYD AR Y SGRIN

Roedd y strydoedd yn rhyfedd o wag ac roedd hi wedi bwrw glaw yn ystod yr awr neu ddwy ddiwethaf. Cerddai Paul a Xatlacan yn gyflym yn y gwyll tua'r rhan o'r ddinas lle'r oedd yr amgueddfa. Gwrandawai Paul yn ddifeddwl ar sŵn eu traed yn atseinio oddi ar y palmant gwlyb.

'Pam na allwn ni ddal bws neu dacsi?' gofynnodd Paul.

Nid atebodd Xatlacan. Edrychodd ar y dewin. Yng ngolau oren y lampau stryd ymddangosai ei groen yn ddi-liw ac roedd ei lygaid yn ddotiau tywyll, difynegiant yn ei wyneb. Ymddangosai'n hŷn nag erioed i Paul, ac yn flinedig iawn. Gobeithiai Paul nad oedd rhywbeth o'i le arno.

'Xatlacan?' gofynnodd Paul eto.

'Dwi'n iawn,' meddai'r dewin yn dawel. 'Fe glywais i ti y tro cynta. Mae'n well gen i gerdded. Mae angen amser i feddwl arna i.'

Nodiodd Paul a syllu ar ffenestri tywyll y siopau wrth ei ochr. Gwyliodd ei adlewyrchiad yntau a Xatlacan. Edrychent yn bâr rhyfedd— bachgen ifanc a hen ddyn, main, brau yr olwg. I'r rhai oedd yn mynd heibio iddynt mae'n siŵr eu bod yn edrych fel ŵyr a'i dad-cu.

'Mae'n ddrwg gen i am dy dynnu di i mewn i hyn oll,' meddai Xatlacan yn ddirybudd.

Cododd Paul ei ysgwyddau. 'Nid dy fai di o'dd e, sbo,' meddai mor ysgafn ag y gallai. 'Fi o'dd y twpsyn o'dd yn sefyll o flaen y sarcoffagws 'na pan agorodd e.' Trodd yn ôl i edrych ar ffenestri'r siopau.

'Serch hynny, mae'n siŵr . . .' dechreuodd y dewin ond roedd Paul wedi stopio yn ei unfan. Tawodd Xatlacan wrth edrych dros ysgwydd Paul. Gwyliai Paul res o setiau teledu mewn siop nwyddau trydan fawr. Roedd deg set yn dangos newyddion saith ac ar ddeg sgrin roedd wyneb y Manatayad sarrug a alwodd enw Paul.

'Beth mae e'n wneud ar y newyddion?' holodd Paul yn ofidus.

'Cawn weld,' meddai'r dewin gan gyffwrdd ei fawd a'i fys cynta'n ysgafn nes bod y bysedd yn gwneud cylch bychan. Ynganodd Xatlacan rai geiriau mewn iaith estron ac yn sydyn gallai Paul glywed y setiau teledu'n glir drwy'r ffenest. Mae'n rhaid fod Xatlacan wedi defnyddio'i hud i droi'r sain i fyny! Gwrandawodd ar y cyflwynydd yn siarad.

' . . . *cyrraedd ddoe. Mae'r ddirprwyaeth o Fecsico yn hawlio mai'r wlad honno sy'n berchen ar gynnwys arddangosfa David Fitzwalter, Teyrnas Gudd y Manataya.*'

Gwyliodd Paul y llun yn newid i ddangos hanner dwsin o bobl o Fecsico mewn siwtiau yn cwrdd â gwleidyddion eraill, a'r dyn sarrug yn ysgwyd llaw gyda'r Gweinidog Tramor. Roeddynt yn sefyll o flaen adeiladau'r llywodraeth, lai na deng munud o daith o'r amgueddfa.

'Mae'r grŵp yn cwrdd ag aelodau o'r llywodraeth i drafod sut y gellir datrys y broblem ddiplomyddol newydd hon.'

Teimlodd Paul ias oer yn gafael ynddo. Yn y cefndir, ar ochr arall y stryd y tu ôl i'r Gweinidog Tramor safai ffigur ar ei ben ei hun—yr un ffigur â'r un a welodd wrth gatiau'r ysgol. Crynodd Paul drwyddo wrth adnabod y got hir dywyll a'r het gantel lydan yn cuddio wyneb y person.

'Amaquatl . . .' sibrydodd Xatlacan dan ei anadl.

'Hwnna oedd yn sefyll wrth gatiau'r ysgol,' meddai Paul yn ofnus.

Sylweddolodd Paul yn sydyn fod y llun yn newid a'r camera'n symud yn agosach at y ffigur yn y cefndir. O fewn dim roedd pob sgrin deledu yn y siop yn dangos yr het lydan ac o fewn dim byddai ei wyneb yn dod i'r golwg. Symudodd y camera'n agosach . . .

A diffoddodd pob set yn ddisymwth.

'Mae Amaquatl yn ddewin nerthol,' meddai Xatlacan wrth ostwng ei law.

'Beth ddigwyddodd?' gofynnodd Paul.

'Roedd e'n bwrw swyn drwy'r setiau teledu, yn

chwilio amdanat ti.' Edrychodd y dewin yn bryderus i fyny ac i lawr y stryd. 'Ti a fi fyddai'r unig bobol i weld y llun yn newid fel y gwnaeth e ac fe ddefnyddiais i fy swyn fy hun i ddiffodd y rhain. Ond bydd ganddo syniad eitha da lle'r y'n ni. Mae'n rhaid i ni frysio.'

Cerddodd y ddau'n gyflymach yn eu blaenau.

'Mae'n rhaid fod Amaquatl wedi fy nilyn i i'r presennol, yn ôl i Manataya'r gorffennol ac yna'n ôl i'r presennol,' ystyriodd Xatlacan. 'Mae Llwybr Amser wedi bod yn brysur.' Tawelodd heb ymhelaethu ymhellach.

Ymhen munud, arafodd Xatlacan gan wyro'i ben i'r naill ochr fel pe bai'n gwrando ar rywbeth.

'Beth sy'n bod?' gofynnodd Paul gan deimlo'n anghysurus.

Ysgydwodd Xatlacan ei ben a chyflymu ei gamau heb ddweud gair. Taflodd Paul gipolwg dros ei ysgwydd, gan ddisgwyl y gwaethaf. Doedd dim i'w weld, dim ond ambell gwpl law yn llaw neu ddyrnaid o fechgyn ar eu ffordd i'r dafarn.

Yna, clywodd yr hyn roedd y dewin wedi ei glywed funud ynghynt. Roedd sŵn camau i'w clywed yn atseinio rai metrau y tu ôl i'r ddau. Wrth i Paul a Xatlacan gyflymu eu cerddediad, cyflymai'r sŵn traed arall. Wrth iddyn nhw arafu, arafai'r sŵn traed. Edrychodd Paul y tu ôl iddo unwaith eto.

Gwelodd ymyl cot dywyll yn diflannu heibio i gornel wrth i'r sŵn traed dewi. Edrychodd Paul yn nerfus ar Xatlacan. Edrychodd hwnnw ar Paul gan godi un ael.

'Fel y dwedais i,' meddai'r dewin yn ddifrifol, 'gwell i ni frysio.'

Gyda'r glaw yn disgyn o'r newydd, brysiodd y ddau drwy'r tywyllwch i gyfeiriad yr amgueddfa.

21

GWACTER

Cyrhaeddodd Paul a Xatlacan yr amgueddfa rai munudau'n ddiweddarach a'u gwynt yn eu dwrn. Teimlodd Paul ias yn cropian i lawr ei asgwrn cefn wrth weld y cerfluniau a'r creiriau hynafol unwaith eto. Edrychodd i fyny ar wynebau rhai o'r cerfluniau talaf, gan gofio'r lleoedd y gwelodd rai tebyg ddiwethaf—yn ninas Manataya, dair mil o flynyddoedd yn ôl!

'Wyt ti'n iawn?' gofynnodd Xatlacan. Roedd y dewin wrthi'n astudio rhaglen yr arddangosfa.

'Odw,' atebodd Paul. 'Mae jest yn . . . od gweld yr holl bethe 'ma'n edrych mor hen ar ôl i fi eu gweld nhw'n cael eu defnyddio'n go iawn yn y ddinas. Alla i ddim credu 'u bod nhw mor hen.'

'Ie,' mwmialodd y dewin, heb wrando.

'Ble gynta?' gofynnodd Paul. Disgwyliai weld Amaquatl yn camu o'r tu ôl i un o'r cerfluniau unrhyw funud.

'Yr ail lawr, dwi'n credu,' meddai'r dewin. Trodd tua'r grisiau ac roedd ar fin cerdded pan blygodd yn ei hanner, fel pe bai rhywun wedi ei fwrw. Ar yr union eiliad, teimlodd Paul wacter sydyn yn ei stumog ei hun. Ymladdodd yn erbyn y teimlad dieithr a helpodd Xatlacan i gyrraedd rhes o gadeiriau gerllaw.

'Beth sy'n digwydd?' gofynnodd yn syn wrth i'r teimlad waethygu, cyn cilio'n sydyn. Sythodd Xatlacan a rhoi ochenaid hir.

'Mae pethau'n dechrau dal i fyny â fi, mae arna i ofn,' meddai'n gryg. 'Fedr dyn ddim byw gyda dim ond rhan o'i ysbryd yn ei gorff. Mae'n rhaid i ni frysio. Dwi'n teimlo mor flinedig.' Eisteddodd yn ôl yn y gadair.

'Na!' Deffrodd Paul drwyddo. 'Allwn ni ddim rhoi'r gorau iddi nawr. Mae'n rhaid i ni fynd lan stâr. Dere.'

Rhoddodd help llaw i'r dewin godi ar ei draed ac ymdrechodd hwnnw i ddringo'r grisiau. Erbyn iddo gyrraedd y top ymddangosai'n fwy heini a dychwelodd rhywfaint o ynni i'w symudiadau.

'Diolch, Paul,' meddai. Edrychodd o gwmpas yr ystafell cyn pwyntio at un gornel. 'Draw fan'na, dwi'n credu.'

Dechreuodd y ddau gerdded rhwng cistiau gwydr yn llawn delwau a cherfluniau bychain, delwau o bren, o glai ac o aur. Dychrynodd Paul o weld delw fechan o ddyn-barot a symudodd yn ei flaen yn frysiog. Perygl, meddai llais bychan yn ei ben.

'Dyma ni,' meddai Paul. Darllenodd yr ysgrif ar y cabinet: *Duw'r Gatiau. Delw aur o gyfnod hwyr Manataya, c.900 C.C.*

Roedd y cabinet yn wag.

'Y duwiau a'n helpo ni,' sibrydodd Xatlacan o'r tu ôl i Paul. Teimlai Paul yn hollol ddigalon. Ble'r oedd y ddelw? Heb y ddelw roedd popeth ar ben. Byddai'n rhaid iddo fyw gyda rhan o ysbryd Xatlacan ynddo, ond beth ddigwyddai i Xatlacan? Byddai'n siŵr o . . .

'Paul!'

Trodd Paul i gyfeiriad y llais a'i galon yn ei wddf, gan ddisgwyl gweld y Manatayad sarrug yn agosáu.

Chwifiodd rhywun ei law ato o gyfeiriad un o'r cistiau gwydr ar ochr arall yr ystafell. Gydag ochenaid o ryddhad, gwelodd Paul mai Tom oedd yno, y dyn ifanc a dywysodd Blwyddyn Wyth o gylch yr arddangosfa y tro cyntaf. Nesáodd Tom atyn nhw a gwên lydan ar ei wyneb.

'Paul, sut hwyl?' meddai'n llon. 'Do'n i ddim yn disgwyl dy weld di'n ôl yma mor fuan.' Edrychodd yn gwrtais tuag at Xatlacan, fel pe bai'n disgwyl cael ei gyflwyno. Estynnodd Xatlacan ei law.

'Sam,' meddai gan daro hanner gwên. 'Wncwl Sam. Brawd Bob, tad Paul.'

'Shw' mae,' meddai Tom gan ysgwyd llaw â Xatlacan. 'Mae'n braf gweld Paul yma ar ôl beth ddigwyddodd iddo fe'n gynharach yr wythnos hon. Jiw, roedd hi'n werth gweld yr olwg ar wyneb Fitzwalter, cofiwch . . .'

'Mae'n ddrwg gen i dorri ar eich traws,' meddai Xatlacan. Sylwodd Paul ei fod yn pwyso ar y gist wag, fel pe bai ar fin llewygu. 'Mae 'da ni dipyn o broblem. Efallai y gallwch chi helpu.'

'Ie, siŵr,' meddai Tom yn ddigon cyfeillgar. 'Beth sy'n bod?'

'Ble mae delw Duw'r Gatiau?' gofynnodd Xatlacan.

Crychodd Tom ei dalcen a rhoi chwerthiniad byr. 'Jiw, nesa at y sarcoffagws, 'na un o'r creiriau sy wedi denu fwya o sylw yn yr arddangosfa. Ro'dd rhywun yn gofyn amdano heddi, a dweud y gwir.'

'Pwy?' gofynnodd Paul yn amheus.

'Grŵp o Fecsico. Ma'n siŵr 'ch bod chi wedi'u gweld nhw ar y teledu amser te. Ma' nhw'n honni y dylai'r holl stwff yma gael ei ddychwelyd i Fecsico. Roedden nhw'n trafod 'da'r Gweinidog Tramor . . .'

'Y ddelw,' torrodd Xatlacan ar ei draws unwaith eto. Roedd ei anadl yn dechrau byrhau erbyn hyn a'i groen yn troi'n fwy gwelw fyth.

'Wel, 'na'r peth rhyfeddaf,' aeth Tom yn ei flaen, 'roedden nhw'n ddigon bodlon am y tro i ddychwelyd i Fecsico gyda'r cerflun 'ma a'r sarcoffagws. 'Sech chi byth yn credu'r peth. Aeth hi'n ddadl ofnadw rhwng Fitzwalter a'r Gweinidog ac yn sydyn dyma Fitzwalter yn cynnig y ddau beth iddyn nhw. Ac roedden nhw'n hapus reit â hynny.'

Swyn, meddyliodd Paul, a'i galon yn suddo. Mae'n rhaid bod y Manatayaid—y 'Mecsicaniaid'

119

—wedi swyno Fitzwalter i gynnig y sarcoffagws a'r ddelw iddyn nhw.

'Dyna ni,' meddai'n isel, 'gêm ôfyr. Ma' nhw wedi mynd 'nôl i Fecsico, 'te.'

'O na,' meddai Tom. 'Mae'r ddelw a'r sarcoffagws yn warws yr amgueddfa yn y dociau, yn cael eu pacio'n ddiogel cyn cychwyn ar eu taith fory.'

Edrychodd Tom yn syn ar Paul a'i Wncwl Sam yn gadael yr arddangosfa ar frys. Ysgydwodd ei ben. Beth oedd yn bod ar y ddau? Cododd ei ysgwyddau a symudodd i helpu rhywun arall.

Welodd e mo'r ffigur tywyll mewn cot hir a het lydan yn gadael yr arddangosfa ryw hanner munud ar ôl Paul a Xatlacan.

22

WARWS SAITH

Caeodd Paul ddrws y tacsi a diflannodd y car i'r nos. Tynnodd Xatlacan ei siaced ysgafn yn dynnach amdano gan edrych i fyny am eiliad ar y glaw'n disgyn unwaith eto. Gwyliodd Paul ddafnau'r glaw yn disgyn yng ngolau melyn yr unig lamp stryd oedd wedi ei chynnau.

'Ai dyma'r lle iawn?' gofynnodd Paul.

'Ie, yn ôl y gyrrwr tacsi,' meddai Xatlacan.

Roedd y ddau wedi neidio i mewn i'r tacsi agosaf ar waelod grisiau'r amgueddfa. Gwibiodd y tacsi ar draws y ddinas, a thrwy lwc fe gostiodd lai na'r pumpunt oedd gan Paul ym mhoced ei drowsus. Roedd Paul yn sicr y gallasai Xatlacan fod wedi bwrw swyn ar y gyrrwr i osgoi talu, ond roedd yn well ganddo dalu'n onest am y daith.

Pwyntiodd Xatlacan at un o'r adeiladau mawr o'u blaenau.

'Hwnna,' meddai. 'Warws Saith. Wyt ti'n barod, Paul?'

'Am beth?'

'Beth bynnag sy'n ein hwynebu,' atebodd Xatlacan.

'Odw, sbo,' meddai Paul, wrth glywed sŵn y môr yn y porthladd y tu cefn i'r warws. Roedd y lle hwn yn edrych mor unig ac anial. Rhesi ar resi o adeiladau warws enfawr, tywyll gydag ond ambell olau stryd pŵl i dorri ar y tywyllwch. Roedd gormod o gysgodion, meddyliai Paul, llawer gormod o leoedd lle gallai pobl ymguddio . . .

'Paul, deffra,' meddai Xatlacan yn ddiamynedd. 'Draw fan'na.'

Dilynodd Paul y dewin i Warws Saith gan geisio rheoli'r cryndod yn ei ddwylo. Rhaid iddo reoli ei ofn. Mae'n siŵr fod Xatlacan yn dibynnu arno gan fod ei iechyd mor fregus. Tynnodd Paul anadl ddofn.

Oedodd Xatlacan wrth ddrws y warws. 'Edrych,' meddai'n dawel, ei lais yn wan a simsan erbyn hyn. 'Does 'ma'r un gwarchodwr wrth ddrws y warws. Mae'n rhaid i ni fod ar ein gwyliad-wriaeth.'

Edrychodd Paul yn bryderus ar y papur newydd, y radio a'r mŵg coffi gwag ar y bwrdd yn y cwt bychan ger drws y warws. Gobeithiai nad oedd dim wedi digwydd i'r gwarchodwr.

Ymhen munud, safai'r ddau y tu mewn i'r warws. Ymestynnai pentyrrau enfawr o focsys pren o'r llawr i'r nenfwd ar bob ochr. Taflai'r bocsys gysgodion hir yng ngolau'r stribedi golau oedd yn hongian o'r trawstiau islaw'r nenfwd uchel. Ar ben arall y warws roedd ffenest wydr swyddfa i'w gweld, ac un golau gwan yn sgleinio drwyddi. Ar y drws roedd arwydd: 'Pacio a Chludo'.

'Draw fan'na,' meddai Paul. Rhoddodd Xatlacan nòd fechan. Roedd ei anadlu'n llafurus erbyn hyn.

'Xatlacan?' gofynnodd Paul yn ofidus. 'Wyt ti'n mynd i fod yn iawn? Pwysa ar fy ysgwydd i.'

Rhoddodd y dewin ei law ar ysgwydd Paul a phwyso'n ddiolchgar arni. 'Diolch, Paul. Mae gen ti galon hael. Bydd y duwiau'n gwenu arnat ti am hyn.'

'Ie, ond wyt ti'n mynd i fod yn ocê?' gofynnodd Paul eto. Gallai glywed rhywun arall yn symud o amgylch y warws.

'Ydw—os ffeindiwn ni'r ddelw'n fuan,' meddai Xatlacan, oedd yn amlwg yn clywed yr un synau â Paul erbyn hyn. Cerddodd y ddau'n wyliadwrus i gyfeiriad y swyddfa Pacio a Chludo.

Daliodd Paul ei anadl wrth gerdded i mewn i'r swyddfa fawr. Mewn un gornel safai'r sarcoffagws, mewn clamp o focs pren agored. Roedd yr arch wedi ei phacio i mewn i'r bocs gyda digon o sglodion a shafins pren. Ac eithrio cwpl o feinciau gwaith roedd y swyddfa'n wag. Doedd yna ddim golwg o focs arall na'r ddelw. Edrychodd Paul ar Xatlacan mewn anobaith. Roedd hwnnw'n amlwg yn teimlo'r un siom â Paul.

'Chwilio am hwn?' meddai llais cras o'r tu ôl i'r ddau.

Trodd Paul a Xatlacan ar eu sodlau i wynebu'r person newydd. Fferrodd gwaed Paul yn ei wythiennau.

Wrth ddrws y swyddfa, yn dal y ddelw aur fechan o Dduw'r Gatiau, roedd y ffigur tal yn y got dywyll a'r het gantel lydan.

'Ewch chi ddim ymhell heb hwn,' meddai'r ffigur. Roedd ei lais yn gyfarwydd i Paul. Ychydig yn fwy cras nag y tro diwethaf iddo ei glywed, ond gwyddai'n iawn pwy oedd yn berchen ar y llais. Ond Xatlacan ynganodd yr enw gyntaf.

'Amaquatl,' meddai Xatlacan gan ollwng ysgwydd Paul a chamu tuag at y ffigur. Cipiodd y dewin yr het lydan oddi ar ben y ffigur.

Y tro hwn teimlai Paul fod ei waed wedi stopio llifo'n gyfan gwbl.

Amaquatl oedd yno, ond roedd ei wyneb yn hagr. Dim ond gwyn ei lygaid oedd i'w weld ac roedd ei groen wedi crebachu'n hyll, fel pe bai wedi ei losgi mewn tân. Ysgyrnygodd ei ddannedd melyn ar Paul a Xatlacan.

'Na, dyw amser ddim wedi bod mor garedig i *fi*,' meddai'n chwerw. 'Ond ymhen munud bydd popeth yn iawn unwaith eto.' Edrychodd ar y ddelw. 'O'r diwedd, mae'r gyfrinach gen i. O'r diwedd!' Rhoddodd chwerthiniad gwallgof.

Digwyddodd popeth o fewn eiliadau i'w gilydd.

Ceisiodd Xatlacan gipio'r ddelw o law Amaquatl. Symudodd Amaquatl o'i afael a rhoi dyrnod galed i'r dewin â'i law rydd. Suddodd Xatlacan i'w liniau. Aeth Paul i'w helpu. Dechreuodd Xatlacan ddweud rhywbeth. Teimlodd Paul swyn yn berwi o fewn y dewin.

O'r diwedd roedd Paul yn ddigon agos i glywed rhai o eiriau Xatlacan. 'Cau,' meddai'r dewin yn gryg. 'Gatiau . . . cau'r gatiau . . . Galwa amdano . . . Y duwiau fo gyda ti, Paul.'

Disgynnodd y dewin i'r llawr.

Diflannodd Amaquatl.

Yna, diflannodd y warws.

23

Y LLE TYWYLL

Safai Paul unwaith eto yn y llannerch yn y jyngl. Roedd y pyramid yn esgyn i'r nen o'i flaen a'r gwres sydyn yn bygwth ei lethu. Sylwodd ei fod yn gwisgo'i ddillad arferol a thynnodd ei siaced oddi amdano a'i gollwng i'r llawr.

Roedd e yn y Lle Tywyll unwaith eto.

Gallai deimlo presenoldeb Amaquatl, rywle'n agos ato. Edrychodd o'i amgylch yn araf. Doedd neb i'w weld.

Sylwodd fod y jyngl yn gwbl dawel, yr un anifail nac aderyn i'w glywed.

Sut y cyrhaeddodd y Lle Tywyll y tro hwn? Ai Xatlacan oedd wedi ei anfon yma? Pendronodd Paul dros eiriau ola'r dewin. Doedd yna'r un gât i'w gweld yma. Ac ar bwy y dylai alw?

Y deml. Gwylia'r deml.

Neidiodd Paul mewn braw o glywed y llais cyfarwydd yn ei ben.

'Xatlacan?' meddai'n obeithiol, ond ni ddaeth yr un gair arall i'w ben. Edrychodd a'i galon yn drwm tuag at y deml ar gopa'r pyramid a gwyddai y byddai'n rhaid iddo esgyn y grisiau unwaith eto. Cerddodd yn araf at waelod y pyramid a dechrau'r daith hir i fyny.

Agosáodd at y deml. Wrth weld yr agoriad tywyll i'r adeilad hirsgwar isel teimlodd gryndod yn lledu drwy'i gorff. Llifai gwaed i lawr y grisiau uwch ei ben, y llif yn cynyddu wrth iddo nesáu at y deml. Cynyddodd y llif yn don enfawr a chaeodd Paul ei lygaid yn erbyn y llifeiriant fyddai'n ei drechu unrhyw funud . . .

Aeth popeth yn dawel. Agorodd Paul ei lygaid yn ofalus. Doedd dim i'w weld ar y grisiau, yr un defnyn o waed. Dechreuodd Paul grynu eto.

Clywodd lais cras yn chwerthin.

Cynyddodd y cryndod wrth i Paul sylwi ei bod yn tywyllu'n gyflym. Roedd cymylau duon yn ymgasglu uwchben y llannerch ac o fewn dim roedd mellt yn fflachio a tharanau'n atseinio uwchben y jyngl. Ymhen eiliad arall dechreuodd cawod drom o law arllwys ar ei ben a'i wlychu hyd ei groen wrth i wynt milain chwipio o'i amgylch.

Brysiodd i fyny'r grisiau olaf a chamodd i mewn i'r deml a'i galon yn ei wddf.

Roedd yr adeilad isel yn un ystafell hir, wedi ei goleuo â ffaglau ar hyd y waliau. Roedd tawelwch annaturiol yn llethu'r ystafell. Edrychodd Paul am y drws ond roedd hwnnw a phob arwydd o'r storm arw wedi diflannu.

'Fedri di ddim dianc,' meddai'r llais cras.

Safai Amaquatl ym mhen arall yr ystafell y tu

ôl i lechen enfawr ar ei gorwedd. Daliai'r ddelw aur fechan yn un llaw a dagr hir yn y llaw arall. Doedd dim i'w weld ar y llechen. Chwarddodd Amaquatl unwaith eto a'r sain yn crafu ar nerfau Paul.

'O'r diwedd,' meddai'r dewin. 'Dyma'r awr. Cyfrinach bywyd tragwyddol. Ond yn gyntaf mae angen gwaed ar y duwiau.'

Pwyntiodd y dagr a theimlodd Paul rym anweledig yn ei dynnu tuag at y llechen. Gwyddai'n awr beth oedd bwriad Amaquatl. Roedd y dewin yn bwriadu ei aberthu! Ymladdodd Paul yn wyllt yn erbyn y grym ond yn araf roedd yn agosáu fesul modfedd at y llechen dywyll. Ble'r oedd Xatlacan? Doedd e ddim eisiau marw, yma yn y Lle Tywyll, yn aberth i hen dduwiau Mantaya! Syllodd yn llipa ar y dagr yn llaw Amaquatl ac yna ar y ddelw fechan.

Ac yn sydyn daeth popeth yn glir iddo. Cofiodd eiriau Xatlacan yn y parc: 'Y Lle Tywyll, lle mae'r duwiau anghofiedig yn byw'. Yna cofiodd eiriau ola'r dewin iddo.

Roedd yn rhaid iddo alw ar Dduw'r Gatiau i'w helpu!

Ond sut? Roedd bron â bod hyd braich i Amaquatl. Roedd yn rhaid iddo frysio. Penderfynodd wneud yr unig beth a fedrai. Ymlaciodd a gadael i swyn Amaquatl ei dynnu'n gyflym tua'r llechen. Glaniodd yn galed ar y garreg ac am eiliad edrychodd i fyny ar lafn erchyll y gyllell ac wyneb arswydus Amaquatl. Teimlodd y swyn yn cilio.

Ar amrantiad cipiodd Paul y ddelw o law'r dewin a rholio oddi ar y llechen. Glaniodd yn drwm ar y llawr llychlyd a sgrialodd ar ei draed gan ddal ei afael yn dynn ar y ddelw.

'Na!' sgrechiodd Amaquatl gan symud o amgylch y llechen tuag at Paul.

Gafaelodd Paul yn dynnach yn y ddelw. Ynganodd y geiriau 'Duw'r Gatiau' drosodd a throsodd.

Roedd Amaquatl o fewn cyrraedd iddo, yn ddigon agos i Paul arogli sawr afiach ei groen pwdr. Gafaelodd y dewin yng nghrys-T gwlyb Paul a chodi'r dagr yn uwch. Caeodd Paul ei lygaid yn dynn.

Atseiniodd taran drwy'r ystafell isel gan fyddaru Paul. Agorodd ei lygaid a rhoddodd ei galon naid fechan wrth weld dyn yn sefyll wrth ei ymyl: Manatayad tal, cydnerth yn dal ffon hir mewn un llaw. Roedd yr wyneb Manatayaidd yn fwgwd o ddicter pur.

Adnabu Paul y dyn ar unwaith. Duw'r Gatiau!

Dechreuodd Amaquatl gilio i ben arall yr ystafell. 'Na, na, na,' meddai'n dawel, gan ollwng y gyllell. Atseiniodd y dur ar y llawr caled a thaflu cwmwl bychan o lwch i'r awyr.

Trodd Duw'r Gatiau ei ben ac edrych ar Paul. Meddalodd ei wyneb a fflachiodd awgrym o wên ar draws ei wyneb. Estynnodd a chyffwrdd braich Paul yn ysgafn. Neidiodd Paul wrth i sioc eirias wibio drwyddo ond eiliad yn ddiweddarach disgynnodd teimlad o dawelwch yn flanced feddal drosto.

Trodd Duw'r Gatiau ei olygon tuag at Amaquatl eto. Roedd hwnnw'n ceisio ei orau i daflu rhyw fath o swyn ond ni fedrai ynganu'r geiriau, gymaint oedd ei ofn. Agorodd Duw'r Gatiau ei law rydd ac ymddangosodd pluen arni'n sydyn.

Pluen parot.

Gyda sŵn rhwygo aflafar, diflannodd to'r ystafell a ffrydiodd y glaw i mewn i'r deml. Edrychodd Paul i fyny ar y storm yn rhuo uwchben gan weld siâp tywyll yn torri trwy'r cymylau duon. Sgrechiodd Amaquatl wrth i grafanc enfawr ei gipio i'r tywyllwch. Gwelodd Paul awgrym o blu lliwgar ac yna fe ddiflannodd y creadur ac Amaquatl i ganol y dymestl.

Peidiodd y storm yn ddisymwth a ffrydiodd golau'r haul i mewn i'r deml. Yn y cynhesrwydd annisgwyl chwiliodd Paul am Dduw'r Gatiau ond doedd yna'r un arwydd ohono. Yn ei le roedd y ddelw fechan yn gorwedd ar y llawr llychlyd. Cododd Paul y cerflun yn ofalus a chwythu'r llwch oddi ar yr aur.

Diflannodd y deml o'i amgylch.

24

DYCHWELYD

Unwaith eto, roedd Paul yn sefyll yn swyddfa Pacio a Chludo Warws Saith. Gwelodd Xatlacan yn gorwedd ar y llawr ac ar ei union rhoddodd Paul y ddelw ar y bwrdd a brysio tuag ato. Cyrcydodd uwch y dewin. Oedd e'n fyw ynteu . . ?

'Ydw, dwi'n fyw,' meddai Xatlacan, gan agor ei lygaid yn grynedig.

'Diolch byth,' sibrydodd Paul gan roi help llaw iddo i godi ar ei eistedd. 'Fe es i i'r Lle Tywyll ac fe weles i Amaquatl ac . . .'

Cododd Xatlacan law i'w ddistewi. 'Fe welais i'r cyfan,' meddai'n floesg. 'Ro'n i yno gyda ti.'

'Beth?'

'Fe glywaist ti fi on'd do?' meddai'r dewin gan godi ar ei draed yn araf.

'Do, ond . . .' Deallodd Paul yn sydyn. Roedd Xatlacan wedi anfon ei ysbryd gydag e i'r Lle Tywyll.

'Fe gei di feddwl am hynny eto,' meddai'r dewin, gan gerdded yn simsan tuag at y sarcoffagws. 'Mae 'na un peth arall gen ti i'w wneud.'

131

'Wrth gwrs,' meddai Paul. 'Y sarcoffagws. Y ddelw. Fe elli di fod yn ifanc unwaith eto.' Gafaelodd yn eiddgar yn y ddelw aur ond rhoddodd Xatlacan ei law'n ysgafn ar ei ysgwydd.

'Na,' meddai'r dewin yn addfwyn. 'Yr unig beth sy'n bwysig yw dy fod ti'n dychwelyd i dy fywyd normal unwaith eto. Mae'n rhaid i ti gael gwared ar fy ysbryd i.' Ymdrechodd i agor drws yr arch cyn troi'n ôl at Paul.

'Ond . . .' dechreuodd Paul, gan deimlo ton o dristwch yn ei lethu.

'Ond beth, Paul Gruffudd?' meddai'r dewin a gwên siriol ar ei wyneb. 'Ro'n i'n ffŵl i feddwl y gallwn i gael bywyd tragwyddol. A mymryn yn haerllug, efallai. Nid ein lle ni fel bodau dynol yw gwneud hynny. Gyda'r duwiau'n unig y mae'r hawl i hynny.'

Rhoddodd Xatlacan ochenaid hir. 'Ac rwy'n flinedig. Mor flinedig,' meddai. 'Fe allwn i gysgu am fil o flynyddoedd.' Estynnodd ei law at Paul ac ysgydwodd Paul y llaw'n dawel.

'Diolch i ti, Paul, am bopeth. Hebddot ti—wel, pwy a ŵyr. Ond yn awr, mae'n rhaid i mi gymryd fy lle yn nhiroedd y duwiau. Wedi'r cyfan, mae'r lle wedi bod yn barod i mi am dair mil o flynyddoedd. A bydd hwn,' pwyntiodd at y sarcoffagws, 'yn dychwelyd i'w iawn le cyn i'r llywodraeth ffeindio nad oedd y Mecsicaniaid hynny'n bod mewn gwirionedd. Dyna'r peth gorau i'w wneud.'

Trodd a chamu i mewn i'r sarcoffagws. 'Rwyt ti'n gwybod beth i'w wneud, on'd wyt ti?'

'Ydw,' meddai Paul, gan ymladd i gadw'r dagrau rhag disgyn. Byddai'n gweld eisiau Xatlacan. Doedd e ddim yn siŵr pam, ond roedd e'n mynd i weld ei eisiau.

'Pe bai mwy o amser gen i, fe wnawn i ddewin ohonot ti, Paul. Ond dwi'n rhy flinedig.' Gorweddodd yn araf yn y sarcoffagws. 'O, bydd ychydig ohona i'n aros gyda ti am byth.' Gwenodd yn sydyn. 'Mae'n ddrwg gen i . . .'

'Hen arfer drwg,' meddai Paul gan wenu. 'Ond rwyt ti'n iawn. Wna i byth dy anghofio di, Xatlacan. Byth.'

Roedd llygaid Xatlacan yn dechrau cau. 'Wel, mae hynny'n golygu llawer mwy na bywyd tragwyddol i fi. Hwyl fawr, Paul Gruffudd.'

Estynnodd y dewin fraich denau a dechrau cau drws y sarcoffagws. Syllodd Paul ar wyneb y dewin am y tro olaf ac yna'n ddigalon ar y sarcoffagws enfawr. Ymhen munud, rhoddodd y ddelw'n ofalus ar y clawr, yn yr un man ag y gwelodd y Xatlacan ifanc yn ei roi yn ninas Manataya. Fflachiodd yr aur yn eirias. Gyda'i lygaid ar gau, clywodd Paul sŵn ochenaid fawr a theimlai fel pe bai pwysau mawr yn codi oddi ar ei ysgwyddau.

Gwyddai fod ysbryd Xatlacan wedi ei adael.

Agorodd ei lygaid i weld bod y ddelw wedi trawsffurfio'n garreg fel y sarcoffagws oddi tano.

'Hei, ti! Beth wyt ti'n wneud yma?'

Trodd Paul i weld dyn mewn lifrai gwarchodwr nos yn sefyll yn y drws. 'Beth wyt ti'n wneud gyda'r arch 'na?' gofynnodd y dyn yn sarrug.

Heb feddwl, rhoddodd Paul ei fys a'i fawd at ei gilydd yn ysgafn a mwmial rhai geiriau dan ei anadl. Meddalodd wyneb y gwarchodwr.

'Dere, gw'boi,' meddai'r gwarchodwr yn garedig. 'Fe ffoniwn ni dy gartre di, ocê?'

'Ocê,' meddai Paul gan wenu. Efallai y byddai mwy nag atgof yn unig o Xatlacan yn aros gydag ef wedi'r cyfan. Ac wrth ymadael â'r swyddfa, taflodd gipolwg olaf ar y sarcoffagws.

Gallai Paul dyngu iddo glywed Xatlacan yn chwerthin.

Wyt ti'n ddigon dewr i ddarllen holl deitlau'r gyfres?

LLYTHYRON O'R BEDD
FELICITY EVERETT
ADDASIAD SIAN LEWIS

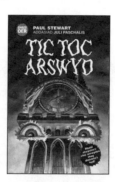

TIC TOC ARSWYD
PAUL STEWART
ADDASIAD JULI PASCHALIS

GWENDEG
NICHOLAS FISK
ADDASIAD IOLA JONS

POLTERGEIST
ANTHONY MASTERS
ADDASIAD ROSS DAVIES

5

ANTHONY MASTERS
ADDASIAD ROSS DAVIES

GWAED OER

BWGAN
YR YSGOL

6

GWAED OER   MAIR WYNN HUGHES

Y DIAFOL
YN Y MYNYDD

7

GWAED OER   HELEN EMANUEL DAVIES

DRYCH OFN